安田秀一

JN030188

# 「方法論」より「目的論」

## 「それって意味ありますか?」からはじめよう

講談社+α《プラスアルファ》新書

# まえがき　「冷戦国時代」を生き抜く

## 鳴かぬなら殺してしまえホトトギス

血で血を洗う戦国時代、待ったなしの改革が必要だった織田信長の政治手法を例えた有名な句です。

二〇一九年末、突然現れた新型コロナウイルスが世界中に襲いかかりました。たくさんの人々の命が失われ、現代社会の安心・安全の根拠のひとつになっている医療機関というライフラインが一部崩壊し、人類はパニックに陥りました。

いままでの生活背景がすべて崩れ、ニューノーマルという言葉に象徴されるように、日々の生活の変化とその背景にある個々の「価値観の変革」という、大きなうねりになっていると思います。

日本に焦点を絞れば、大都市圏では二〇二一年前半の大半が緊急事態宣言期間という異常事態、おまけにワクチン接種も海外諸国に圧倒的な遅れをとっている中で、五七年ぶりのオリンピックを首都東京で迎えるという、まさに「待ったなし」の状況です。織田信長が首相であれば、鳴かないホトトギスのように、歓迎されないオリンピックをただちに「殺して」しまったのではないでしょうか。

ご存じの通り、その後に天下を獲ったのは徳川家康です。家康は、

## 鳴かぬなら鳴くまで待とうホトトギス

という句に例えられる、一見退屈ですが思慮に富む性格を持ち、「殺してしまえ」という、大義のために無駄なことの一切を冷酷に排除していた信長の地ならしを静かに見守り、時を待っていました。

そんな退屈に思える家康ですが、その後の治政は「権現」と称されるほど見事なものとされ、いまの日本人の価値観の基礎となるさまざまな精神文化が育まれたのは、家康がつくった二〇〇年を超える天下泰平という安定した生活基盤があったからです。

いまの日本はさしずめ、冷戦ならぬ「冷戦国時代」ともいえるほど、国内は静かながら大混乱とその混乱からくる疲弊に覆い尽くされているように思います。為政者が平気でウソをつき、閣僚経験者は次々に逮捕、起訴され、公文書は堂々と改竄《かいざん》され、憲法に抵触するよう

な営業妨害を白々しく行っています。

おまけに、我々納税者は一〇年前に我が国を襲った未曾有の大震災からの復興に関わる復興特別所得税を二〇三七年まで払い続ける、という増税政策の真っ只中にあり、加えてコロナ禍の経済停滞、そして飲食店などに対する営業停止命令の裏側にある各種補償金政策によって、国家の財政負担は巨大化しています。借金で苦しんでいる状態からさらに借金のタネをつくり、営業補償の裏側で進めるべきワクチン接種は諸外国から周回遅れとなり、その中でオリンピックをゴリ押しする。財政が悪化する中で本来なら政府組織のリストラが必要なのに、スポーツ庁や新設予定のデジタル庁、計画される子ども庁など官僚機構は肥大化の一途をたどっています。

とても書ききれないくらいの混乱が社会を覆い尽くしているにもかかわらず、なぜか静まっているように思えるいまの状況。「冷戦国時代」と名づけたのは、そんなことからです。

僕自身、大変僭越《せんえつ》ではありますが、我が国の「スポーツ部門」に所属する一人の戦国武将の端くれとして、スポーツ部門の混乱を鎮めるべく改革の旗を掲げて、立ち上がりました。

とはいえ結果は散々なもの、冷戦国時代を覆い尽くしている見えない大きな力に完全に飲み込まれてしまいました。

僕なりの戦いを経て、実感したことが三つあります。

一つは、「天下国家より少しだけ自分がかわいい」という空気感です。「鳴かぬなら殺してしまえ……」という姿勢は、平和な社会にあっては乱暴に聞こえますが、実際には自分が嫌われても、必要な改革を達成するには不可欠な発想だと、いまになってそう実感します。天下国家より自分のほうがちょっとかわいい。この空気感が冷戦国時代の骨格だと感じています。

二つめは、「だれもが正しいことをしようとしてがんばっている」ということです。国会議員や知事、市長、官僚や役人の方々は、当然ながら天下国家のためになると思って、公文書を改竄したり、ウソの答弁を繰り返したり、ワクチン接種を優先しない決断をしたりしているわけです。問題はその決断のセンスのなさだと思います。

三つめ、それは「方法論ばかりで、目的論にだれも目を向けないこと」です。問題の全体像を見ずに、あたかも反射神経で判断するかのごとく、部分的な対処を重ねていく人ばかりで、もはやそれがカルチャーになっているかのようにも感じました。

まとめると、「**問題を解決しようとがんばっているけれど、自分が少しかわいいゆえに、その場しのぎの決断を繰り返す**」。そんな状態が折り重なって、何十年も経過していまの冷戦国時代に突入してしまった。僕も自分がかわいいです。でも、ちょっと深呼吸して全体像を見渡せば、目先の決断が五年後の自分を苦しめるように思えます。いまは安定しているようだけど、乗っている船は泥舟で、少しずつ船が沈んでいるんじゃないか。本当に自分がかわいければ、ここは心を鬼にして「殺してしまえホトトギス」になるべきじゃないか。

そんなことを実感しつつ、いま筆を進めています。

つまり、「決して船を沈めてはならない」という「目的論」から入れば、どれだけ手間がかかっても、泥舟の外板をつくって設置しなければなりません。泥舟に乗っている人を癒やすべく、綺麗な鳴き声のホトトギスを鳴かせることに努力を傾けていては、どんどんと泥が溶け出してしまいます。

日本という船にはたくさんのホトトギスがいます。オリンピックもそのひとつです。このホトトギスを鳴かせるという方法論が折り重なり、国家の目的が見えなくなってしまった。ちょっとだけその方法論をしまっておいて、そもそも「それをやる意味ってあるんですか？」と考えてみよう、という提案が、本書の趣旨となります。

二〇二一年夏

安田秀一

「方法論」より「目的論」　「それって意味ありますか？」からはじめよう／目次

第二章　なぜ一流のビジネスパーソンは筋トレやマラソンをするのか　〜個人の目的論〜



第三章　「なぜそれをやるのか」を知っているチームは強い　〜組織の目的論〜

## 第五章 「成功」よりも「幸せ」を選ぶ生き方 ～人生の目的論～

# 序章　「そもそも、それって意味あるんですか？」に立ち戻る

## 「方法論」ばかりに傾く日本社会

突然ですが、みなさんは今の日本社会に「閉塞感」のようなものを感じないでしょうか。

元気がないとか、雰囲気が悪いとかそういう類のことではなく、若い人たちのアイディアやパワーによって世の中が大きく変わっていくというようなエネルギーが感じられない、そんな気がしないでしょうか。

もちろん、日本社会には素晴らしい点がたくさんあります。自然災害やコロナ禍のような未曾有の困難に立ち向かっていく心の強さや、互いに支え合う「絆」の精神など、世界に誇れるようなものもありますが、その一方で「いろいろな問題があるけれど、なかなかそれが解決できない」「改革をしようと声を上げても、なかなか変わらない」というような停滞ムードも感じられるのです。

今の若者は元気がない。政治や経済を実質的に取り仕切っているのが高齢者たちだからしようがない。さまざまなご意見があるでしょうが、僕としては、これは社会全体が「方法論」ばかりに目を奪われてしまっていることも大きいのではないかと考えています。

たとえば、本屋さんに行ってみて、新刊やベストセラーが並べられている棚をご覧になってみてください。どうすればビジネスに成功できるか、どうすれば日本経済が成長するのか、どうすれば幸せになれるのか、どうすればハーバードなどの名門大学に進学するような子どもを育てられるか、そんなノウハウを手軽に習得できるというような本ばかりが溢れているのではないでしょうか。

出版物というのは、その国の社会や文化を色濃く反映していることは言うまでもありません。ということは、僕たちの社会は今、どうすれば物事がうまく進むのかという「方法論」を求める風潮が非常に強いということです。

もちろん、ノウハウやテクニックを学ぶことが悪いと言っているわけではありません。ただ、このように「方法論」を駆使して何よりも成果を追い求めることばかりにフォーカスしてしまうと、

「なぜそれをやるのか？」

「なぜその目標を目指すのか」

という「目的論」のほうがなおざりになってしまうことがあるのも事実です。

## 「神様」とともに遠ざけられた哲学的思考

　では、なぜ日本では「方法論」ばかりが注目を集めるのでしょうか。僕は戦後、日本では国民と「神様」という存在の間にかなりの距離ができてしまったことも大きいのではないかと考えています。

　かつて日本では、神道や仏教などへの信仰が社会の中心にありました。しかし、戦争に敗れてアメリカの占領政策によって「信仰」は脇に追いやられます。天皇の「人間宣言」も行われ、学校では『日本書紀』や『古事記』という「神話」も教えなくなりました。その結果、日本人の中での「神様」への関心は徐々に薄れていってしまいました。

　お祭りになればお神輿を担いで、初詣では神社に並び、お葬式ではお経を唱えるわりに「日本は無宗教」と位置付けられています。神様の存在はこんなにも身近であるにもかかわらず、単に無自覚に過ごしているだけに思えてしまいます。「神様のご利益《りやく》」を考えると、あまりにももったいないと思ってしまいます。

　社会人になって三〇年近くになりますが、そのほとんどを海外の人々と仕事をしてきました。そんな僕の感覚として、我々日本人は「神様」という存在と距離ができてしまったことでなぜ？　どうして？　という根本原理を追究する「哲学的思考」を遠のけてしまい、必然的に日本社会から「目的論」がおいていかれてしまっているのではと思っています。

人生の目的を少しでも深く考えてみると、「我々人間はどこからきて、どこへいくのか」という哲学的な思考に必ずや帰結します。そしてそれは科学や技術がこれだけ進化した現代社会であっても、解明されていません。そんな意味でも「神様」の存在なしに「人生の目的」を考えることは難しいといえるでしょう。

実際、世界を牛耳っているアメリカの社会はキリスト教が中心で、大統領が就任する際にも裁判においても聖書に誓いをたてます。GOAT（Greatest Of All Time）と呼ばれるボクシングのモハメド・アリがキリスト教からイスラム教に改宗したのは有名ですし、世界のリーダーたちは一様に「神様との距離」が近いことがよくわかると思います。

海外の人たちと話をすれば、キリスト教徒でもイスラム教徒でも、会話の中に当たり前のように「神」という言葉が登場します。「私たちは何のために存在するのだろうか」というような哲学的な話題も普通になされます。彼らと議論をすると、まずは本質的な目的があって、その目的を達成するためには何をすべきかと、論理的に話が進んでいきます。言うなれば、「目的論」がしっかりと「方法論」を支配しているのです。

では、翻《ひるがえ》って、日本はどうでしょう。

会話の中で気軽に「神」を語るようなことは憚《はばか》られますし、「なぜ生きるのか」というようなことを口走れば、周囲からいかがわしい新興宗教に勧誘されるのではないかと警戒されてしまいます。つまり「目的論」を深める議論がとても苦手だと実感しています。そのため、日本人同士の議論はどうしても論理的にはなりません。「方法論」の撃ち合いは、時に互いの揚げ足をとり、ただただ時間が流れ、予定調和の結論に帰結します。

## 日本人としての目的が感じ取れない日本国憲法

方法論偏重の最たるケースが、「日本国憲法」ではないでしょうか。僕にはこの憲法から日本人として目指すべき「目的」がどうしても読み込めません。「恒久の平和を念願」とか「国際社会において、名誉ある地位を占めたい」という抽象的なスローガンはあっても、日本が国家として目指していくようなビジョンがわからないのです。難しいイデオロギーを語りたいのではないです。一人の普通の人間が、普通に読んで「なるほど、日本人はこうでなきゃね！」と思いたいのです。

今の憲法をめぐる議論はほとんどが「陸海空軍その他の戦力は、これを保持しない。国の交戦権は、これを認めない」という九条二項に偏っていると思えます。ご存じのように、この条文をめぐって、日本では何十年も激論が続いています。

日本がどのような国家を目指していくのかという目的がしっかりと明記されていれば、その方法として「戦力放棄」が適切なのか、そうではないのかということはたやすく評価できるでしょう。

目的地がはっきりしていないわけですから、場当たり的にいかようにも批判もできてしまいます。「目的不在の方法論」は、社会に混乱を招き、いつまでたっても解決策の出ない不毛な議論ばかりが広がってしまうのです。

そもそも日本国憲法は、他国の憲法と比べて圧倒的に短かく、そして一度も改訂されていないという、国際的な標準と比しても特異な例となってしまっています。

## 自らルールをつくるのが民主主義の基礎

もちろん、憲法のような大きなテーマだけではなく、このようなケースは日本社会のいたるところに存在します。身近なテーマでわかりやすいのが「教育」でしょう。

僕には娘と息子、子どもが二人いて、娘はインターナショナルスクールからアメリカの高校に進学して、現在も留学をしています。ここでも、やはり日本とアメリカの目的論の違いを実感します。

たとえば、日本の中学校に通っていた息子の話ですが、下校途中にスマホを見ていたところを先生に目撃されて、注意をされたことがありました。そのとき息子が、「そもそもなぜ、携帯を見たらダメなんですか？」と質問をしたところ、先生からは「それはルールだからダメなんです」という答えが返ってきたそうです。

一方で娘が通っていたインターナショナルスクールでは、先生からのこんな話で授業の初日が始まったそうです。

「まず、みなさんで、このクラスのルールを考えて決めてください」

そうです、ルールとは守るものではなく、つくるものです。もっと言えばすべての人々が心地よく生きていくという「目的」のためにつくるのがルールです。その本質を考えることなく、方法論のみを幼少期から刷り込まれている日本の児童は少し不幸だと感じてしまいました。

こうした目的論は現代社会の秩序である民主主義の基礎を担っているとも感じました。ルールをつくるのが本来の民主主義であり、やみくもに既存のルールを守らせるのは、専制的だと思います。

## 「立派な社会人」として必要なスキルを学べているのか

そこで、あらためて学校の目的とは何かということを考えてみました。なぜ僕たちは学校に通うのかというと、さまざまな教養や知識、あるいは社会性や対応力などを身につけて立派な社会人へと成長していくためではないでしょうか。

では、「立派な社会人」とは何かというと、この定義はその時代によって大きく変わっていきます。

たとえば、僕たちの祖父母世代は「富国強兵」という大きな国策がありましたので、何よりも日本を欧米に負けない国にするために農民の子どもたちにとっては立派な兵隊や労働力となることが「立派な社会人」だったことでしょう。僕たちの父母世代になると、高度経済成長期の企業や職場で、しっかりと力を発揮できる者こそが「立派な社会人」でした。そのため、組織のルールはとにかくしっかりと守るということが学校教育でも重視をされました。このあたりは僕の時代もそれほど変わりません。

翻って令和の日本における「立派な社会人」とはなんでしょう。会社で働く人の多くはパソコンで仕事をするのが当たり前ですから、パソコンの知識やキーボードを打つ能力は絶対に身に付けていなくてはいけません。また、検索をすればさまざまな情報が入手できるので、記憶力よりも物事を論理的に考えていくような組み合わせ能力が求められます。もちろん、どんな仕事をするにしてもコミュニケーションの手段としてスマホ、ソーシャルメディア（ＳＮＳ）は不可欠です。

これらを踏まえて、あらためて現在の学校をみてみると、そのような目的に合致する教育をしているでしょうか。子どもたちは相変わらずノートに鉛筆で漢字の書き取りをしていて、学校や教師とのコミュニケーションも紙のプリントや連絡帳を用いて、スマホやソーシャルメディアは禁止というルールが多いです。僕が子どもだった時代となんら変わっていません。

漢字の書き取りという古い教育に意味がないなどと言っているわけではありません。古い学習法を奨励してもいいのですが、問題はそこに選択肢がないということです。

学校が「立派な社会人」になるという目的を達成するための場所だとすると、その目的に合った教育をしているはずなのですが、残念ながらそう断言することができません。漢字の書き取りなど、すべての人間に必要というわけではなくなっているのに、それを学校に通うすべての子どもがやらなくてはいけないという状況が、非効率的であって、それが閉塞感を生み、時に僕の息子のように「納得がいかない」という理不尽さを感じる子どもを増やしているのではないか、ということを申し上げたいです。

## トップアスリートの強烈な目的意識

このような「目的」と「方法」のミスマッチが、学校だけではなく、企業やさまざまな組織に溢れているように思えてなりません。それこそが日本社会に閉塞感を生んでいる——僕はそう考えています。そして、まさにこの閉塞感を打ち破ることができる、だれにもイメージしやすい「きっかけ」がひとつだけあるとも考えています。

それが本書のもうひとつのテーマでもある「スポーツの力」です。

スポーツにさまざまな効能があることはもちろんですが、僕が中でも注目をしているのは、強烈な「目的意識」を育むことができるという力です。神様の存在を感じる場面もスポーツにはふんだんに盛り込まれています。

メジャーリーグの大谷翔平選手、ゴルフの松山英樹選手、テニスの錦織圭選手や大坂なおみ選手など、世界で活躍するトップアスリートたちの子ども時代のエピソードを耳にすると、非常に早い段階から「この練習にはどんな意味があるのだろう？」という思いを常に抱き、自分なりの上達方法を見出していった傾向が強いと思っています。僕自身、現役選手だった時、納得のいかない練習には必ずと言っていいほど「これってどんな意味があるのですか？」とコーチや先輩に確認しました。僕の時代はそんなことを聞けば「生意気だ！」といわれて、必ずや鉄拳制裁をくらいましたが……。その後のコーチ経験でも、いい選手であればあるほど、その練習の「目的」を確認しようとする傾向が強いと思っています。

彼ら彼女らは、その練習の目的がわかればどんなつらいことでも乗り越えようと歯を食いしばります。でも、目的が曖昧《あいまい》であればボイコットも辞さないほどの強い目的意識を持っています。

こんな推察をする背景には、実際に多くのアスリートと僕自身がしてきた対話があります。目的意識という意味においては、日本のプロ野球、巨人の阿部慎之助さん（現・二軍監督）から聞いた、こんな言葉は非常に印象的でした。

「プロ野球選手になりたいと思って、この世界に入ってきたヤツはそもそもダメ。プロ野球で大活躍する、そんなイメージを持ってないと試合にも出れないよ。もっと言えば、○○チームで四番を打つとか、ホームラン王をとるとか、日本記録を塗りかえるとか、そんな具体的な目標を持った人間じゃないと成功しない」

真の一流選手には、自分の中ですでに強烈な目的意識というものがあり、「プロ野球選手になる」という目標も、あくまでそれを達成する過程、すなわち「方法」に過ぎないというわけです。

たしかに、日本人トップアスリートたちの中にも、そのような自分だけの強烈な目的意識を、最高のパフォーマンスを引き出す原動力にしているのでは、と推察できる人物が何人かいます。たとえば、大坂なおみ選手は、黒人差別への抗議を意味するマスクに世界の注目を集めるという目的を掲げて、それをモチベーションにし、強敵を次々と倒して二〇二〇年、二度目の全米オープン優勝を果たしました。

## 「なぜ？」「どうして？」を繰り返し掘り下げる

このような素晴らしい活躍を読み解いていくと、そこには「強烈な目的意識」が非常に大きな役割を果たしているのではないかと推察されるのは当然ではないでしょうか。

そして、僕はこれこそが今の日本社会にもっとも足りないことのような気がしています。つまり、トップアスリートたちが持っているような「強烈な目的意識」を抱く人々が増えていけば、社会を覆っている閉塞感も打破できますし、トップアスリートたちのように世界で通用する「スーパー日本人」を輩出できるはずなのです。

それこそが僕の考えている「スポーツの力」の活用法です。

申し遅れましたが、僕は安田秀一と申します。主にアンダーアーマーというスポーツ用品を取り扱っている「ドーム」という会社の代表取締役を務めています。この仕事をはじめて約二五年、学生スポーツやプロスポーツの現場に身を投じることも多く、世界のトップアスリートたちとお話をさせていただいたり、彼らの貴重な体験を耳にしたりという機会に恵まれてきました。

そこで僕が気づいたのが、先ほどから申し上げている「目的」の重要さです。


「そもそも何でこれやってるんだっけ？」

「どうしてこれをしなくてはならないのか？」

明確な目的に到達するには、

「なぜ？」

「どうして？」

を繰り返して掘り下げていくプロセスが不可欠です。もし、理解できないようなつらい思いを押し付けられたとしたら、遠慮なく、

**「それって意味ありますか？」**

と、胸を張って聞いてみること。

一流のアスリートたちに共通しているのは、自分たちが積み上げている努力、進めている戦略が「目的」にしっかりと合致したものなのか、とことん検証をしているということです。どんなにハードなトレーニングであっても、どんなに緻密な戦略であっても、それが「試合に勝つ」という目的に合致していないものであったらまったく意味をなしません。そのような事態にならないように、一流のアスリートたちは常に「目的」を再確認し、今自分がやっていることがそこから逸脱していないかを確認し、もしそこにギャップがあれば調整をする。世界で活躍をするアスリートには、そのような能力に長けている人が非常に多いのです。

## 東京オリンピックの「目的不在」

僕は、このような「目的」に合っているのかという検証が、今の日本社会にはもっとも必要なことではないかと考えています。

わかりやすい例が、「東京２０２０オリンピック・パラリンピック」です。新型コロナの影響によって開催を延期したこの大会には、非常に多くのおカネが費やされ、新国立競技場や東京アクアティクスセンターなどをはじめ多くの施設が造られました。もちろん、競技者にとって最新の設備ができるのは喜ばしいことですし、それらのスポーツの普及にも追い風になるかもしれませんが、一方で「おカネがかかりすぎる」「赤字を垂れ流して負の遺産になる」などの批判を受けています。

この問題を解決する糸口は、ずばり「目的」にあります。「そもそもオリンピックとは何のためにやるのか？」という原点を掘り下げるべきだということです。

オリンピック憲章により明確に定義されていますが、オリンピックは「スポーツを通じて平和な世界の実現に寄与する」という目的を達成するために行われるものです。では、新国立競技場や東京アクアティクスセンターは「世界平和」に貢献するのでしょうか。費やされた多くの税金で、世界は平和に近づくことができるのでしょうか。

また、ＩＯＣ（国際オリンピック委員会）は二〇二一年には何があっても開催をすると宣言をしていますが、「パンデミックの危険が排除されないこの時期にオリンピックを開催すべきか」というそもそも論に立ち戻ってしっかりと検証をしていく必要があります。

それは、マネジメント面でも同様です。「TOKYO2020」として都税が多く投入されるわけですから、その都税を投入するかどうか、投入するならどれくらいの規模で投入するのかは、都民が住民投票などで決めることが望ましいはずです。しかし、東京オリンピック・パラリンピック競技大会組織委員会のトップは森喜朗氏でしたし、森氏が失言で辞任した後は森氏の流れを汲む橋本聖子氏が就任しています。また、森氏は昨年退任した安倍晋三前首相にも組織委員会内に新たなポストを用意すると発言したこともありました。このような政治的な人事に果たして「公益」があるのかは、やはりしっかりと検証しなくてはいけません。まがりなりにも、組織委員会は、「公益財団法人」なわけです。

これ以外にも、多様化が求められる昨今の世界的潮流の中、高齢の男性が多く占める組織委員会の幹部人事や、本来は都市の祭典であるオリンピックがなぜか都民不在で、国家プロジェクトのようになっている、などさまざまな問題が「目的不在」で、あやふやなままで進められているという実態に大いなる不安を覚えます。

## 不安、不確実、不透明な未来を乗り越える

僕は少し前に、『スポーツ立国論』（東洋経済新報社）という本を出しました。ここでは数多《あまた》あるスポーツの効能の中から特に経済的側面にフォーカスを当てて、さまざまな提言を

させていただきました。

しかし、それから新型コロナの感染拡大が起きて、世界が不確実なものになったことで、そのような経済的な効能をはるかに上回る、スポーツの力にあらためて気づかされました。

そもそも、人間は「運動するためにデザインされた動物である」ということです。長い年月をかけて、地球上の覇者となった人間です。その背景には、種の繁栄に対する強烈な本能が人間に組み込まれていることは想像に難くありません。人間として生きる大きな目的のひとつが、種の繁栄として組み込まれているならば、「元気」や「健康」は水や空気のように、生きるための必需品であるわけです。

そして、スポーツの力とは、どんなに先の見えない時代でも、スポーツというものが、僕たちに進むべき道を示してくれるということ。不確実な世界を生き抜く座標軸になるということです。

なぜそんなことが言えるのかというと、これはすべてトップアスリートたちが必然的に実践していることだからです。先のまったく見えない不安、不確実、不透明の未来を前にしても自分を見失うことなく、強烈な目的意識を持って、自らを磨き、戦略を練っていく。つまり、世界が初めて体験するアフターコロナ時代を乗り越えるためのヒントというのは、じつはトップアスリートたちの姿の中に隠されているのです。

本書では、そのようなスポーツの力を、僕自身がすべて実際に見て、聞いて、体験したことに基づいてご紹介していきたいと思います。

僕自身、これまで何度もスポーツの力で救われてきました。スポーツによって学び、スポーツによって成長し、そしてスポーツによって新しいことにチャレンジもできるようになりました。だからこそ、僕が愛してやまないスポーツの力を一人でも多くの方に知っていただきたい。そんな思いで筆を執りました。

一流と超一流、いったいどこに差がでるのだろう？

結果はともかく、そのプロセスにおいて超一流の思考回路を真似ることとは、何よりも上達への近道だと思います。

世界で大活躍する日本人。世界から尊敬される日本人。僕もそんな日本人のひとりを目指して会社の経営にあたってはいますが、とてもそこまでの実力を持ち得ていません。

でも、スポーツ界には、前述したような世界でもキラキラと輝く日本人がたくさんいます。スポーツを切り口に、そんな日本人がひとりでも多く生まれ、育っていくこと——、さあ、勇気をもって聞いてみよう。

「それって何の意味がありますか？」

そんな個々の疑問が少しずつ溶解し、この日本がもっと元気になることを祈って。

# 第一章　強烈な目的意識が「スーパー日本人」をつくる

## 目的から始まる方法論

今、日本社会が直面しているさまざまな問題は、そもそもの「目的」に立ち戻って考える「目的論」を用いることで解決の道筋が見えてくる――。

そんな本題に入っていく前に、まずは本書における「目的論」というものをここでしっかりと定義しておきたいと思います。

哲学や心理学の世界における目的論（teleology）は、人間の意識的な行動だけではなく、自然や歴史などさまざまな事象もすべて目的によって規定されているという考え方ですが、本書に登場する「目的論」は、「目的」を明確に意識して、そこにたどりつくためにはどうすればいいのかを定義していくことです。そのような意味では、「目的から始まる方法論」と言ったほうがわかりやすいかもしれません。

「なんだ、結局は方法論の本ということじゃないか」と思う方もいらっしゃるかもしれませんので、誤解なきように説明をさせていただくと、まず僕自身は、方法論を否定するつもりはまったくありません。先人たちが積み上げてきたノウハウや知恵から生まれた方法をしっかり実践することで、解決できることも世の中にはたくさんあるからです。

　ただ、ここで忘れてはいけないのは、このような方法論というものにはすべて「**なぜそれをやるのか**」という目的が必ずあるはずだということです。人の行動には必ず目的がありま す。つまり、本来の方法論というのは、「目的」と必ずワンセットになっているのです。

## 日本社会が失った「神様」

　しかし、「序章」で申し上げたように、日本社会の場合は「目的」だけがごそっと抜け落ちて「方法論だけ」に偏ってしまっている傾向が強くあります。これは戦後教育の影響もあって、日本人が「神様」と距離ができてしまったことが原因ではないかと僕は考えています。

「神様」とは「何のために生きて、何のために死んでいくのか」という究極の目的論と人類が向き合うために必要な存在であることに異論を挟む人はいないでしょう。死ぬときにお葬式をあげない人はほとんどいないはずです。その「神様」が遠い存在になってしまえば当然、「目的論」とも縁遠くなります。僕はこれこそが、神様の話をするのを憚られる日本人の間で、「目的なき方法論」が蔓延《まんえん》した理由のひとつではないかと考えています。

　僕がこの本を書こうと思った理由のひとつが、この国の方法論に「目的」というものを取り戻したかったからです。「神様」との距離がある中で、古き良き日本人が当たり前のように持っていた「目的から始まる方法論」をもう一度蘇らせたいという思いがあったのです。

## 一流の人材の目的意識

本書で語られる「目的論」の内容がなんとなくご理解いただけたところで、次にみなさんとしっかりと共有をしておかなければいけないのは、「目的とはそんなに大事なことなのか」ということでしょう。

目的はもちろんあったほうがいいけれど、そこまで固執する必要もないのではないかというご意見もあるでしょう。大切なのはあくまで問題の解決という結果なので、あまりに目的ばかりに心を奪われてしまっては状況の変化に応じた柔軟な状況判断ができない、という考えの人もいることと思います。

もちろん、それもひとつの考え方ですので、否定するつもりはありません。ただ、僕がこれまで実際に会ってお話をした、ビジネスで大きな実績を残した人やトップアスリートたちの多くは、強烈な目的意識を持っていたというのは紛れもない事実です。

さまざまな分野で「一流」と呼ばれるような人たちの、そこにたどりつくまでの歩みを振り返っていくと、根底にある「目的意識」というものが非常に大きな役割を果たしていたことがよくわかります。

## 「好き」から始まり高まっていく欲求

これは有名な「マズローの法則（欲求五段階説）」でも説明ができます。ご存じの方も多いかもしれませんが、アメリカの心理学者、アブラハム・マズロー（一九〇八～一九七〇）が提唱した心理学理論で、人間の欲求は低いほうから「生理的欲求」「安全の欲求」「社会的欲求（所属と愛の欲求）」「承認欲求」「自己実現の欲求」という五段階がピラミッドのように積み重なっていて、低いレベルの欲求が満たされるごとに、もう一つ上の欲求を持つようになるという考え方です。

たとえば、飢え死に寸前だった人が食事にありつけて「生理的欲求」が満たされたら、次は安心して休めるような場所が欲しくなります。「安全の欲求」です。安全が確保されたらより安心して生活ができるように仲間が欲しくなるという「社会的欲求」が高まっていく、という感じで、人間というのはどんどん欲求がエスカレートしていくというのが、マズローの基本的な理論です。

この理論は、**人というのは「目的」があるから上を目指して成長できる**ということでもある、と僕は理解しています。

なぜそう思うのかというと、僕がこれまで生きてきたスポーツの世界というのは、まさしくこの「マズローの法則」通りに成長をしている人間がたくさんいるように思えるからです。

人がなぜスポーツを始めるのかというと、理屈なしに「好き」だからです。サッカーボールで遊んでいると時間が経つのを忘れてしまう。とにかく野球をしていれば幸せという感じで、子どもたちが「三度のメシより好き」という状況になるのは、そのスポーツをやること自体に食事や睡眠と同じような「生理的欲求」があるからではないでしょうか。

この純粋な「好き」という欲求が満たされると、次はケガなどをすることなく、しっかりとした環境でそのスポーツを存分に楽しみたいという「安全の欲求」が芽生えます。学生ラグビーで前人未到の九連覇を成し遂げた帝京大学の岩出雅之監督は、「体育会イノベーション」を掲げて学生たちを指導しています。戦力が毎年入れ替わる学生スポーツで九連覇というのがどれほどの偉業かということは説明するまでもありませんが、そのバックボーンとなっている「体育会イノベーション」とは、単純に言うと、従来であれば一年生がやるような雑用を四年生が率先してやり、一年生には新たな環境に慣れることに専念させるというチームづくりのことです。

岩出監督によると、高校までとは異なる環境に飛び込んできた一年生は、やはり「安全の欲求」が強いそうです。ここで雑用から解放して一年生の居場所をつくり、「安全の欲求」を満たしてあげると、若い選手たちにはチームへの帰属意識やチームメイトとの信頼関係、チームのために貢献をしたいという「社会的欲求」が生まれてきます。さらには、チームの中で自分の力を認めてもらいたい、試合で活躍して高く評価されたいという「承認欲求」へとつながり、一人ひとりが切磋琢磨して毎年のように強いチームになる、強い絆で結ばれたコミュニティが形成されるという好循環ができているのです。

## 所属と愛の欲求

僕は、これまで長くスポーツに携わってきて、スポーツというものの力により、非常に大きくて強固な絆で結ばれるコミュニティが形成されるということを、何度も目の当たりにしてきました。

その代表的なものが、ウェールズです。

ウェールズはご存じの通り、日本で行われた二〇一九年のラグビーワールドカップで四位に入りました。勇敢な戦いぶり、そして地元から駆けつけた熱狂的なファンたちの姿は、記憶に新しいところです。

ウェールズのことを簡単に紹介すると、イングランド、スコットランド、北アイルランドという英国を構成する四つの国のひとつで、日本の四国よりも少し大きな面積に、横浜市よりも少ない約三一四万人の人々が暮らしています（二〇一九年）。この地では幼いころからラグビーをやっている人がたくさんいます。男の子だけではなく、女の子も参加して、チームプレイの大切さを学んでいきます。大人になってからもそれは変わらず、我々が草野球をするような感覚で、ラグビーを楽しんでいます。ラグビーの競技人口を調査したランキングによれば、ウェールズのラグビー人口は一〇万人を超えています（二〇一九年）。一〇〇人のうち三人はラグビーをプレイしているのです（日本は人口一億三〇〇〇万人でラグビーの競技人口が一一万人ほどですから、ウェールズの多さがわかると思います）。

ただ、競技人口としては日本の草野球との比較がわかりやすいですが、ウェールズ国民にとってラグビーはその意味がまったく違います。そのことを理解できる僕の好きな動画、心から共感する動画に、『【ラグビー　ウェールズ代表】偉大さへのあくなき挑戦』というものがあります（https://www.youtube.com/watch?v=xSc4nFUX7v4）。この動画を見ると、ウェールズの人々にとって、ラグビーが単なる一競技ではなく、どんなに大きな存在であるのかがよくわかります。以下に、動画で語られていることの一部を紹介します。

「ただのスポーツではない。我々の生きがいだ」

「ここはスタジアムではない。我々の家だ」

「観衆？　違う。家族だ。彼らの声は、我々の心に火をつける」

「我々は一五人ではない。何百万人もの仲間がいる」

「ジャージではない。我々の肌だ」

「習ったわけではない。我々の血がそうさせる」

「勇敢なわけではない。これは我々の務めだ」

「勝ち負けではない。偉大さへの飽くなき挑戦だ」

「我々は教えられたのではない。導かれたのだ」

「見返りではなく、名誉を追い求める」

「これはただの約束ではない。我々の誓いだ」

「歴史をなぞるのではなく、書き換える」

「これはただの希望ではない。揺るぎない信念だ」

「これが我々の戦い。これがウェールズのラグビーだ」


いかがでしょうか。

ウェールズでは、競技をしている人たちはもちろん、競技としてやっていない人たちからしても、ラグビーは非常に大きな存在です。試合になれば地域全体で熱烈な応援をし、ラグビーを中心に生活が回っているという人たちがたくさんいます。つまり、ウェールズの人々にとって、ラグビーというのは単なるスポーツにとどまらず、教育であり、文化であり、産業でもあり、地域コミュニティの中心となるような非常に重要な存在となっているのです。「ラグビーとともに生きている」と言っても過言ではないでしょう。

## 阪神タイガースとウェールズのラグビー

日本でも地域に根付き、地域の人々を熱狂させる代表的なチームがあります。プロ野球の阪神タイガースです。関西の人たちは、物心ついたころから、野球といえば阪神という環境で育っているので、阪神が勝った負けたで一喜一憂し、関西人同士であれば、挨拶代わりに阪神の調子が話題になることもしばしばです。そして、優勝したときには、地域全体が盛り上がり、関西圏に大きな経済効果をもたらします（久しぶりの優勝となった一九八五年や星野仙一さんが率いて優勝した二〇〇三年は、そのフィーバーぶりは本当にすごかったです）。

こうして見ると、関西の人々にとって、阪神は単なる地元の球団ということ以上の大きな存在だと言えるでしょう。ただ、少し厳しいことを言わせていただければ、ウェールズにおけるラグビーと比較すると、若干の物足りなさを感じるのも事実です。阪神も負けたときや優勝を逃したときに熱狂的なファンから罵声を浴びることもありますが、どちらかというと「負けてもよし」「仕方ないな」と温かく見守るという雰囲気であって、関西の人々にとっての阪神は「居場所としての安全欲求」を満たしているだけなのかもしれません。

ですので、関西地区の大いなる復活のためにも、とくに球団の方や選手のみなさんには決して現状に満足することなく、「日本のプロ野球を阪神が変えるんだ」「阪神が関西地区の経済復活を牽引する」くらいの「承認欲求」や「社会的欲求」を持っていただきたいと、僭越ながら思っております。そうすれば、ウェールズにおけるラグビーのように、阪神タイガースが関西の人々にとって真に欠くことのできない、いま以上のより大きな存在となることができる、さらにいえば日本におけるスポーツのステイタスが大きく向上するのではないでしょうか。そして、スポーツの存在意義が高まることによって人々の結びつきが強まり、コミュニティが形成されていくという現象を目にするたび、これこそがマズローが言うところの「社会的欲求（所属と愛の欲求）」を求めた結果ではないかと感じます。

## 負けず嫌いが人を成長させる

さて、では「社会的欲求（所属と愛の欲求）」が満たされたら、人は次に何を求めるのかというと、マズローによれば「承認欲求」です。つまり、最近のソーシャルメディア社会における「いいね！」に象徴されるように、一人でも多くの人々に自分の存在を認められたい、自分のやったことを評価されたい、称賛を浴びたいというような欲求です。
そのように聞くと、何やらネガティブな原動力というような印象を抱くかもしれませんが、スポーツの世界で長年生きていた僕からすれば、じつはこの「承認欲求」がもっとも爆発力があって、人を大きく成長をさせるものではないかという気もしています。
チームに貢献をしてつかんだ勝利も、ライバルとの競争や、自分自身との戦いを経てもぎ取った勝利も、基本的には、勝って自分の存在を認めてもらうという「承認欲求」が原動力になっています。だから、負けてその欲求が満たされず悔しい思いをしたとき、捲土重来《けんどちょうらい》を誓った人はこのようなことを言うのではないでしょうか。

**「今に見ていろ」**

この「見ていろ」という言葉からもわかるように、自分の存在を見せつけたいという強い思いが、より強くなること、より成長することにつながっているのです。だから、僕はスポーツにとどまらず、ビジネスなど勝負の世界でも「承認欲求」が非常に大切だと考えています。

実際、僕がこれまでお会いしてきた、第一線で活躍をするアスリートをはじめそれぞれの分野で名をなしている人たちには、「今に見ていろ」という思いでここまでのし上がってきた猛烈な「負けず嫌い」の人たちがたくさんいる印象なのです。

ただ、一方で、世界で活躍をするような「超一流のアスリート」になるには、このような「承認欲求」を原動力とするだけでは足りないような気もしています。

海外で活躍をする日本人の選手、世界中から尊敬される超一流のアスリートのみなさんの考え方や言動をインタビューなどから見るかぎり、このような人たちは単に「負けず嫌い」でここまできたという印象ではないからです。

自分がスポーツで結果を出すことで、社会を大きく変えたい。だれかを勇気づけたい。だれかの幸せに貢献をしたい。苦しくて絶望しているような人たちに生きる力を与えたい――。自分自身の承認欲求を超えて、自分の力でこの世界を少しでも良くしていきたいという強烈な「自己実現の欲求」があるように感じられるのです。

## 黒人差別に孤高の闘いを挑んだモハメド・アリ

僕が何よりもそう感じる理由として、一人の世界的アスリートの存在があります。それは、二〇一六年に亡くなったモハメド・アリです。一九六〇年のローマオリンピックで金メダルを獲って、プロ転向後にヘビー級王座を一九度も防衛し、六一戦五六勝五敗三七ＫＯという偉業を成し遂げた超一流のボクサーであることは有名ですが、その一方で、彼はアスリートという枠を超え、「人間」として世界中から今でも多くの尊敬を集めています。

なぜなら、**リングの外でもこの世界の理不尽と戦い続けた**からです。

現在よりももっと露骨に黒人が差別されていた時代、「俺の真のリングは、アメリカの黒人の自由をつかみとるためのものだ」などとアメリカ社会に対して批判的な言動を繰り返しました。また、ベトナム戦争への徴兵に対しても、「俺にベトナム人を殺す理由はない」と拒否。反米主義者だとバッシングを受け、チャンピオンベルトを剝奪されて懲役五年、罰金一万ドルの判決が出ても、アリは決して折れることはありませんでした。

その後、ボクサーとして復帰してから初めての敗北を喫したりしましたが、一九七四年には、ザイール（現在のコンゴ民主共和国）のキンシャサで当時、圧倒的な強さを誇ったジョージ・フォアマンと対戦。三二歳のアリには全盛期の勢いはなく、下馬評ではフォアマンが勝つと思われていましたが、それを見事に覆して王座に返り咲きました。これがいわゆる、

「キンシャサの奇跡」です。

ただ、そのようなドラマチックな勝利もさることながら、アリが今でも世界から尊敬を集めているのは、「ボクシングで世界を変えた」という偉業が大きいのではないでしょうか。アリの言動によって、人種差別問題が好転して、苦しい思いをしていた人たちがどれだけ救われたかわかりません。そして、理不尽と戦うアリの姿を見て、どれほど多くの人たちの人生に影響を与えたのか。

実際、拳を交わしたフォアマンは後年のインタビューで、アリについて問われてこのように述べています。

「『他者から愛されることが、いかに大事か』ということを学んだ。彼は人が好きだった。アリ以上に他者から愛された人間っていないんじゃないかな。本当にGreatだよ」（モハメド・アリ死去から2年　宿敵フォアマンが語る「史上最強の男」（林壮一））

このように人間として偉大な地点まで到達するのは、やはりアリが強烈な「自己実現の欲求」を原動力にしていたからではないでしょうか。

現役時代のアリは「大ボラふき」とも言われるほどの過激なリップサービスで知られ、

「私は神話をつくり、神話の中で生きる」というような名ゼリフを残しています。そして、事実として「モハメド・アリの戦い」は今も神話として世界中で語り継がれています。「意志の力はどんな技術よりも強い」と述べたアリらしく、「自己実現の欲求」を原動力にして、本当にこの世界を変えてしまったのです。これこそが世界から尊敬される超一流アスリートなのではないでしょうか。

## 幼少期に夢のような目標を抱くべき理由

こんなエピソードを聞くと、あまりにも自分たちの住む世界とかけ離れているという印象を抱くかもしれませんが、このように高いレベルの欲求を、自己実現のためのモチベーションにしていくというのは、何もトップアスリートに限った話ではありません。

「みんなに美しいと言われたい」という強烈な承認欲求を抱いた人は、それを実現するためには相当高いレベルの努力をしなくてはいけません。

「上司に認められたい」という承認欲求を抱いたビジネスパーソンは、それを実現するためにはやはり努力をして高いパフォーマンスを見せなくてはいけません。

衣食住が満たされて、ある程度の安全な生活もできている現代人にとって、「承認欲求」

「自己実現の欲求」という高い次元の欲求は、自らの人生をパワフルに生きていくための原動力なのです。そして、その傾向がさらに極端に表れているのが、スポーツの世界であり、それを極めた人たちこそが、一流トップアスリートというだけの話なのです。

だからこそ、僕は子どものうちに「夢」や大きな「目標」を持つことが非常に大事だと考えます。「将来はご飯が食べられたらいいや」「仲のいい友だちや家族と楽しく過ごせればそれでいい」という「生理的欲求」「安全の欲求」「社会的欲求」を飛び越えて、「プロ野球選手になりたい」「プロテニス選手になって世界で活躍したい」という、前向きな「承認欲求」や「自己実現の欲求」を持ってくれた子どもは、それを実現させるためには何をすべきか、何を優先すべきかということを自分の頭で必死に考えるようになるからです。

## 強い球を投げる、ホームランを打つ

マズローの法則に基づく「五つの欲求」が人間を成長させる原動力になるという考え方を検証する意味で、もうひとつ例を出しましょう。なぜ僕がこのような発見に至ったのかというと、これまでいろいろなアスリートのみなさんと実際にお話をした内容と、世界で活躍するような一流のアスリートたちが語る自分の話の中に一つの共通点を見出したからです。

それは「**子ども時代から強い個性があった**」ということです。

もちろん、キャラクターはみんな異なりますが、「自分」というものがしっかりと確立されている方が非常に多いです。もちろん全員ではありませんが、少なくとも、親や先生から言われたことを「はい」と素直に聞いてただ従っていたような人はいないはずです。

たとえば、現代の日本人メジャーリーガーのパイオニアとなった野茂英雄さんは、自身の代名詞であるトルネード投法を決して変えることはありませんでした。

今でこそ「野茂さんといえばトルネード」という感じで市民権を得ていますが、これは日本の野球理論からすれば「異端」以外の何物でもありませんでした。日本のピッチャーは、小学生の草野球から高校野球まで、狙ったところに投げるにはしっかりとキャッチャーミットを見なさい、バントやスクイズのおそれもあるので、投げた後もキャッチャーミットを見なさい、という「基本」を徹底的に叩き込まれます。当然、野茂さんも日本にいる間は投法を変えるべきだという「指導」を周囲から耳にタコができるほど言われたはずです。それでもこの投法を変えることはありませんでした。

これは以前、日米のプロ野球リーグで活躍し、ボストン・レッドソックスではワールドシリーズ優勝を経験した「ノールック投法」の岡島秀樹さんをテレビでたまたま拝見したときのコメントでも説明できると感じました。岡島さんは番組の司会者からの「これ、キャッチャーミットは見ているんですか？」という質問に対して、「見てません」と堂々と答えました。さらに「何度も何度も、ミットを見て投げろって言われましたし、実際にプロでもそれに挑戦しました。でも、ミットを見ると『強い球』が投げられなくて、この投げ方で通しました」と続けたのです。

つまり、岡島さんには「強い球」を投げるという目的が上位にあって、投げ方という方法は二の次だったことが理解できます。そう考えると、アスリートの「個性」は「その競技の目的」にスポットを当ててみることで、その合理性を解明することが可能になるのではないかと思います。

巨人で監督を務められた高橋由伸さんとは、会社のイベントに出演してもらったり、何度も食事に行ったりするなど、とても親しくさせていただいている仲ですが、その由伸さんは現役時代、バッターボックスの「一番前」、つまり一番ピッチャー寄りに構えていました。少年向けの野球の本にはたいてい「足の速い一番バッタータイプは塁に近くなるために前に構える」「長距離打者は球をしっかりと見極める必要があるため、キャッチャー寄りに構える」と書いてあります。

ご存じの通り、由伸さんは東京六大学野球の通算最多ホームラン記録を持ち、巨人の歴史の中でも有数の長距離バッターなので、僕にとっては不思議でなりませんでした。ですので、ある日食事に行った際に、「由伸さんは、なんで一番前に立っていたんですか?」と聞いてみました。そうしたら、予想もしていない答えが返ってきたのです。

読者のみなさんは「なぜ」だと思いますか?

正解は「フェンスに一番近いから」です。「小学生のころって、ホームランをたくさん打ちたいじゃないですか。だからフェンスに一番近いところに立っていたのがきっかけです」ということでした。なるほど、小学生のころから「ホームランを打つ」という目的があったわけです。

プロゴルファーの矢野東《あずま》さんからも、本質的なことを教わりました。

はじめて一緒にコースを回ったときのことです。そのころの僕はというと、レッスンプロからスイングを教わり、アドレスからトップ、そしてスイングと、細かいところにこだわってスイングしていました。僕はホールに応じて戦略を立て、慎重にクラブを選択してボールを打っていましたが、細かいところを気にするあまり、スイングがぎこちなくなっていたのでしょう。矢野さんは笑ってこう言いました。

「僕らプロゴルファーは、みんな球を遠くに飛ばすのが面白くて、ハマるんですよ。安田さんはそんなデカい身体をしているんだから、まずは何も考えないで思いっきりマン振りしないとダメです」

僕は、はっと気づかされました。ボールを遠くへ飛ばすのは、何物にも代えがたい爽快感があります。そして、ボールを遠くに飛ばすことが、ゴルフの目的を達成する近道でもあります。それからは、ＯＢやバンカーや池ポチャを心配するのではなく、あの爽快感を何度も味わうために、とにかく思い切って振ることを心掛けています。

## 世界レベルの「スーパー日本人」はいかにして生まれるか

いくつか僕が経験したものも含めて実例を挙げてみましたが、世界で活躍するトップアスリートは、時にその世界の常識と言われていることに背を向けてでも自分を貫く、というほど「個性」を大切にしているのではないでしょうか。言い換えれば、「目的意識が高く、曖昧な指導には耳を傾けなかった」のだと思います。

彼らが選手として成長する過程で「それって何の意味があるんですか？」という質問を何度もしてきている姿を僕はクリアに想像できます。反対に、自分のやり方のほうが目的を達成できると確信したからこそ、常識とは違う個性というかたちに昇華したのだと思います。

彼ら彼女らは、「欲求」に忠実なのだと僕は考えます。好きなスポーツを寝る間も惜しんでやりたい。チームに貢献したい。勝ちたい。などなどマズローの法則でいうところの「五つの欲求」を満たすために、何をすべきか、何を大切にしなくてはいけないのかという考えに基づいて行動をしているので、「欲求」のない子どもたちの中に入ると、とても浮いた存在になってしまうのです。

事実、トップアスリートの多くは、子どものときからすでに明確なビジョン、夢を持っているケースが多々あります。大谷翔平選手も高校時代には「世界一の投手になる」と公言していました。大坂なおみ選手も三歳でテニスを始めて、セリーナとビーナスのウィリアムズ姉妹に憧れていました。

日米で活躍をしたイチローさんも本格的に野球を始めたのは小学三年生のころですが、六年生のときには「僕の夢」という課題作文の中ではっきりと「将来は、一流のプロ野球選手になりたい」と宣言していたというのです。

このようなエピソードは、有名アスリートには枚挙にいとまがありません。世界の檜舞台で活躍をしたり、日本でも一流と呼ばれるような選手になったりする人は、ほぼ例外なく、幼いころから強烈な目的意識を持っているように見えます。「なんとなく続けていたら一流になった」という人は聞いたことがありません。

僕はこの強烈な目的意識こそが、日々の鍛錬の精度を高め、強烈な「個性」につながり、ひいては世界に飛び立つような「スーパー日本人」をつくっているのではないかと考えています。

## 子どもたちの教育環境に蔓延する「目的なき方法論」

日本国内で行われているスポーツの練習を例に考えてみましょう。これはスポーツに限らず、学校教育や社会人生活などにも当てはまると思いますので、ぜひ参考にして考えていただければと思います。まずスポーツ指導の現場では「目的」が曖昧なまま、方法論から入るパターンで溢れています。進歩的な指導者も増えてきましたが、本章の最初で解説した「目的なき方法論」がまだまだ主流ではないでしょうか。

たとえば、野球の練習です。アメリカのベースボールでは、子どもたちはまずバットを構えて、ボールを打つ練習からはじめます。ベースボールは得点を取り合って多いほうが勝つゲームですので、「勝つ」という目的から逆算して、何をすべきかと考えてボールを打つ練習からスタートするのです。

もちろん、守備も練習しますが、とにかくそこで大切なのは、一塁にいちばん速く投げる練習です。なぜなら、守備では「アウトを取ること」が目的だからです。

しかし、日本の野球はそうではありません。

日本ではまず子どもたちにキャッチボールから始めさせます。ボールを投げて、しっかりと捕るという基礎的な力を身につけさせないと、そもそも野球のゲームに参加できませんので、とにかくキャッチボールが大事だという考え方です。戦前に来日した強打者ベーブ・ルースが、まずバッティング練習をせずにキャッチボールから始めるという日本の練習を見て非常に驚いたというエピソードも残っています。

守備でもまず、ボールの捕り方を教えます。僕も子どものころ、球を捕ってから投げる、ということを口を酸っぱくして指導されました。アメリカでは、球を捕っても一塁に間に合わなかったら意味がない、と考えます。だから捕球にリスクがあっても、もっとも速く送球できる捕り方を練習します。メジャーリーグの守備が大胆で個性的に見えるのは、捕球においてリスクをとっているからで、その背景には「アウトをとる」という強い目的意識があるわけです。

どちらが優れていて、どちらが悪いという話ではなく、根本的なアプローチの違いだと思います。ただ、日本人であれ、外国人であれ、世界で活躍するようなレベルになるトップアスリートは、徹底的に無駄を排除して、練習の効果を最大限に発揮しようという欲望が強いです。簡単にいえば、意味のないことをやらない、ということです。つまり順番としてはまずは目的を固めてから、方法論を煮詰めるほうが、はるかに効率的ということだと思います。

## 偉人たちにもやはり存在した強烈な目的意識

もちろん、このような傾向はアスリートだけに限りません。どんな分野でも頭ひとつ飛び抜けた活躍をするような才能あふれる人や、その分野で新たな価値観を生み出せるようなイノベーターは、総じて「個性的」です。見た目はごく平凡な感じの方でも、実際に話をしてみるとかなりユニークな考え方や、世界の見方をしていることがよくあります。

歴史をひも解いてみても、日本のターニングポイントとなるような時期には、必ず強烈な個性の持ち主が出てきます。織田信長、西郷隆盛、坂本龍馬らも、本で読むことしかできませんが、みな個性の塊です。

そして、繰り返しとなりますが、これらの個性的な人々に共通しているのは強烈な目的意識です。最初の一歩は身のまわりのことから始めていても、その視線の先には壮大なビジョンを持っていたような人物が圧倒的に多いのです。

織田信長には「混沌とした戦国の世を終わらせる」という強烈な目的意識がありました。

だからこそ、その目的に向かってさまざまな改革をすることができました。若いころは「尾張の大うつけ」と呼ばれるほどの素行の悪さが記録に残っていますが、これもその大きな目標を達成するために、周囲を油断させようと演じていたという説があるほどです。

また、慶應義塾の創設者である福沢諭吉が、なぜここまで日本の近代化に熱意を傾けられたのかというと、封建制度を変えなくてはいけないという強烈な目的意識があったからです。この背景には、福沢諭吉が下級武士の家の出身で、門閥制度から父・百助《ひゃくすけ》が死ぬまで藩内で重用されることがなかったという悔しさがあると言われています。「門閥制度は親の敵《かたき》でござる」「天は人の上に人を造らず」という有名な言葉を遺したように、福沢の封建制度を変えてやるんだという強烈な目的意識が日本の近代化を進めたと言っても過言ではないのです。

## 子どもたちの「好き」を見つけてあげよう

世界で活躍をする「スーパー日本人」には強烈な目的意識が不可欠だということがわかっていただけたと思いますが、そこで次に浮かぶ疑問は、どうやって彼らのような強烈な目的意識を抱くことができるのか、ということでしょう。学習塾のテレビＣＭで「やる気スイッチ」というキャッチコピーがありますが、何をどうすれば目的意識に火をつけて成長を促すことができるのかというのは、子を持つ親や、部下を持つ上司など多くの人に共通する悩みだと思います。

では、それは何か。僕はやはりマズローの五つの欲求の最初にある「**好き**」ということではないかと考えています。そして、「好き」の背景となる「楽しさ」を探索することだと思っています。

これは一流のアスリートはもちろん、一流のアーティスト、一流の職人、そして一流のビジネスパーソンなどすべてのトップレベルの人たちに共通することですが、どんなに大きな夢を掲げても、どんなに高いレベルの目標を定めても、その分野が「好き」でなければ、一流の人たちは今の地位にはついていません。彼らの多くは高い自己実現欲求があると同時に、純粋にその分野のことが好きなのです。スポーツでも音楽でも仕事でも、それをやっているときがいちばん幸せと胸を張って言える人たちが一流になっているのです。

その中でも、とくにアスリートたちが言う「好き」というのは「生理的欲求」に近いものだと僕は考えています。食事や睡眠をとるのと同じような感覚で、そのスポーツをしている。もちろん、勝負には勝ちたいですし、ファンなどから応援もしてもらいたいですが、何よりもそのスポーツのない人生など考えられないという感覚なのだと思います。

トップアスリートと呼ばれるような人たちは、「好き」という「生理的欲求」が、マズローの欲求五段階ピラミッドの土台にあるのです。そのようなベースがしっかりとしているからこそ、ピラミッドの頂点にあたる「自己実現の欲求」へ向けて脇目もふらずに駆け上がっていくことができる、という見方もできるかもしれません。

そのようなトップアスリートの姿に学べば、やはり教育においては、子どもたちの「好き」を見つけてあげる、反対に「嫌いになる」要素は排除してあげることが何よりも大切ではないでしょうか。

## 厳しい重責を乗り越えられる理由は「純粋な感情」

たとえば、野球センスが抜群でも、挨拶が苦手な子どもはそこらじゅうにいると思います。

今の日本の環境は、そんな子どもにとても厳しいものになっています。挨拶とバッティングはまったく関係がない、つまり野球の目的に挨拶はないわけですから「無駄」とはっきり言える要素です。挨拶はあくまでも副産物で、子どもたちの「好き」を阻害する謎のしきたりと言えると思います。挨拶よりも「カキーン！」と豪快にかっ飛ばすバッティングの気持ち良さを感じさせてあげたいものです。

こんな感じで、スポーツは「目的論」を嚙み砕くうえで、とてもわかりやすいという点に、大きな意義があると思っています。そしてスポーツをやっていれば楽しい、心が満ち足りるという「生理的欲求」が満たされるとともに、「夢」や「目標」という高いレベルの自己実現の欲求にもつながっていきます。それはつまり、「夢」や「目標」を実現させるため、努力や困難に立ち向かう人間へと成長させていく力が、スポーツにはあるということですし、それを追体験しやすく、見ている人にもその効果を波及させることができるでしょう。

## スポーツで育まれる「好き」という感情

「好き」が生み出すパワーは、それだけで世界を変えられるくらい強烈です。そして、この「好き」という力を引き出す、もしくは追体験するのに、「スポーツ」は最適だと思います。

なぜかというと、スポーツの世界というのは、他のビジネス社会などよりも、「目的」が明確で、かつ、目的を達成するための方法論が、多彩な例として実見できるからです。「異端」と見られても結果を残す、つまり「目的」を達成できるなら世界を変えるスーパースターにもなれるわけです。

「一本足打法」という「異端」で結果を出し、世界を変えた人がいます。「世界の王」こと王貞治さんは小学四年生の時に初めてクラスで野球チームをつくって、エースで四番を務めていますが、その一年後に、実家の中華料理店で働く店員さんに、後楽園球場へ巨人対中日戦を見に連れていってもらいました。生まれて初めてのプロ野球観戦でした。

試合が終わって、興奮冷めやらぬ子どもたちが、球場から出てくる選手たちにサインをねだりました。ただ、当時、日本人選手にはまだファンサービスという概念がなかったので、だれもサインをしてくれませんでしたが、一人だけ快くサインに応じる選手がいました。巨人の与那嶺《よなみね》要《かなめ》選手です。日系二世であり、アメリカンフットボールの選手をしていた与那嶺選手は、なぜ日本の選手はサインをしてあげないのかと、子どもみんなにサインをしました。その中には、軟式ボールにサインをしてもらった王少年もいました。野球を本格的に始めて一年の小学生に、目の前で熱戦を繰り広げたプロアスリートがくれたサインボール――後の野球人生にどれほど大きな影響を与えたかは言うまでもないでしょう。

野球自体の楽しさはもちろん、国籍も環境も違えど同じアスリートがスーパースターとなって目の前で活躍し、サインをくれたわけです。王少年の心にいろいろな目的意識が夢となって刻み込まれたことは想像に難くありません。

多くの人に夢を与えられるスポーツは、未来を担う子どもたちに強烈な目的意識を抱かせることができます。この好循環が続くことで、世界の檜舞台で活躍できる日本人アスリートたちがより多くなるのではないでしょうか。

# 第二章

# なぜ一流のビジネスパーソンは筋トレやマラソンをするのか　～個人の目的論～

## ビジネスエリートが身体を鍛える本当の理由は何か

前章では、「目的」ということから物事を考えていく目的論が、いかに人を成長させていくのかという総論的なお話をさせていただきました。

そこで、ここからは具体的に、僕たちの世界の中で目的論がどのように機能しているのかを紹介していきましょう。

個人レベルにおける「目的」の機能を、みなさんに実感してもらえる最適な例といえば、一流ビジネスパーソンになればなるほど筋トレやランニングなどに夢中になっている、という事実ではないでしょうか。

健康志向の高まりから、筋トレやランニングを行う人口は年々増えています。笹川スポーツ財団の調査では、ジョギング・ランニングの推計実施人口（年一回以上）は九六四万人（二〇一八年）。コロナ禍の外出自粛による運動不足から、この人口はさらに増えていると見られています。

そんなトレーニング熱は、一流のビジネスパーソンになればなるほど高くなると言われています。僕の周りを見渡してみても、経営者などのビジネスエリートで、筋トレやランニングにハマっている人は非常に多いです。くわえて、みんな多忙にもかかわらず、チームを結成して共同でエクササイズをしたり、マラソンやトライアスロンの練習や大会に出場したりと、スポーツを生業《なりわい》にしている僕からみれば、本当にいい時代になったと思っています。

でも、ちょっと冷静に考えてみると、これは不思議な現象ではないでしょうか。ビジネスパーソンたちの多くは頭脳で仕事をしていますので、本来はそこまで過度に身体を鍛える必要はありません。ビジネスで結果を出すのに、割れた腹筋や厚い胸板も必要ありません。

ましてや、四二・一九五キロで好タイムを叩き出すほどの走力を身につける必要など、どこにもないのです。もちろん、ボディビルやマラソンの大会に出場して記録向上を目指している人もいますが、そのように競技としてトレーニングやランニングをしている人はほんのひと握りです。多くの人はそこまでではなく、スポーツジムに通って黙々とウェイトトレーニングに励んだり、公園などでランニングをしたりしています。

いったいなぜでしょうか。

一般的によく言われるのは、筋トレやランニングをすることで、ビジネスエリートとして必要不可欠なマネジメント能力が鍛えられるということです。ストイックに、そして継続的に自分の身体を鍛えることは、目標に向かって何をすべきかという計画の立案と、それを実行に移すことに他なりません。それを日常的に続けると、ビジネスパーソンとしてのスキルも向上していくというのです。

また、専門家の中には、科学的な観点から筋肉をつけることはビジネスの好成績に直結するという主張をする方もいます。

なぜなら、スポーツクラブに通って筋肉を鍛え、肉を食べれば、テストステロンというホルモンの値が上がって、判断力が向上するからです。このテストステロンについては、かねてからビジネスとの関係が指摘されていて、ケンブリッジ大学がトレーダーの運用成績とテストステロン値の高さの関連について調査したことがあるほどです。

これらの指摘にはちゃんとした根拠もあるので、まったく異論はありません。しかし、僕自身の経験では、それらに加えてもうひとつ大きな効果があると考えています。

それは目的を達成したことによる「自信」の獲得です。しかもルーティンとしてトレーニングに挑むわけですから、日々「目的」と「達成」を繰り返すことが可能になるのです。

## 身体を鍛えることで得られる「目的達成」「自信」が人生を前向きにする

仕事や家事、育児でそこまで明確な「達成」は味わえません。これらの生活そのものとも言える活動は、そのほとんどが「プロジェクト」的なスパンで物事が進みます。仕事などはほぼ中長期的な成果が求められるものばかりでしょうし、育児などは数年単位をイメージしながら取り組む大仕事です。

しかもこれらはすべて外部環境に影響され、自分自身で「達成」をコントロールすることはできません。ウェイトトレーニングをする人の「あるある話」ですが、スクワットなど下半身のメニューに取り組む日はだれもが少しばかり憂鬱になる、という傾向があります。上半身や背中に比べて明らかに心身に負荷がかかるため、「ああ、今日は下半身の日だぁ……」とちょっとした不安にかられながら朝、目覚めることを余儀なくされます。

ところがどうでしょう。その下半身のメニューを終えた直後の爽快感は、何物にも勝る気持ち良さです。まさに「達成感」を味わうことができ、それが日々のルーティンとして蓄積されていくのです。

持って生まれた顔や身長は変えられませんが、身体は老若男女問わず、努力次第で変えることができるわけです。「カッコいい自分になる」——。そんな意識に目覚めた人にとって、「カッコいい」とは格好の目的になるのは紛れもない事実でしょう。

もちろん、それは外見だけの話ではありません。これまで持ち上げることができなかった重いダンベルを上げられるようになれば、それだけで「強くなった」という自信になります。ベンチプレス一〇〇キログラムを挙げたときには、子どものころにテストで一〇〇点をとったとき以上の高揚感を味わえることでしょう。

具体的な目標を数値に置き換えることで、「カッコいい自分」というその目的により近づけるメカニズムがあることを、我々は幼少期からの経験で知っているのです。

駅の階段を上るだけで息が上がっていた人が、ランニングを続けたことで疲れなくなったとすれば、「体力がついた」と自信につながるでしょう。

つまり、過酷なトレーニングを重ねることで、「変わりたい」という目的を達成したことが、人としての自信につながっているのです。

一流のビジネスエリートになればなるほど、自信を持たなくてはいけないことは言うまでもありません。部下に指示を与えるときや、重大な決断を下さなくてはいけないときに、自信がない人には適切な判断ができないかもしれません。


このようにトレーニング、広義で言えば「スポーツ」にはビジネスパーソンとして必要不可欠な「自信」を獲得する力があるのです。それを人は無意識にわかっているので、身体を鍛え、走り込み、自分の記録を超えようとするのではないでしょうか。

なぜ僕がトレーニングと「自信」を結びつけるのかというと、これまで実際にお会いしてきたトップアスリートたちが圧倒的に「自然体で生きている」、反対に言うと「コンプレックスのない人」が多いという傾向があるからです。

## 「自然体」でいて、コンプレックスを抱えてなさそうに見えるのはなぜか

彼らが自分の競技などで確固たる自信があるのは当然ですが、それ以外のことにおいても、コンプレックス、すなわち劣等感のようなものはほとんど感じません。もう少し付け加えると、劣等感を持っていても気にしないか、それすらもさらけ出してしまうことが多くて、まるで気にしていないように見えるのです。

自信家ということではありません。だれかと自分を比べて、負い目を感じたり、自己嫌悪に陥ったりすることがなく、無理して自分を誇張しない。しっかりと「自分」というものを持っていて、人間的にも周囲から尊敬を集めるような人が多いと思います。

つまり、アスリートとして一流の人には、劣等感や自己嫌悪にとらわれたような人はほとんどおらず、人間としても一流というパターンが非常に多いと感じます。

そのように聞くと、ちょっと意外な印象を受けるかもしれません。日本では、コンプレックスが人を大きく成長させるというようなストーリーがよく受け入れられているからです。

たとえば、身長も低くて、体力もないということにコンプレックスを感じていた子どもが、その悔しさをバネにして身体を鍛え、技術を習得するなど努力を続けて、一流のアスリ

ートとして大成する――というような逸話は、よく耳にします。

このような「自分が苦手である分野を、努力や気力でカバーしようとする」心理メカニズムが人間にあるということは、精神科医・心理学者のアルフレッド・アドラーも指摘していて、これを「補償」と呼んでいます。

**コンプレックスは原動力になるが、そこから「卒業」したほうがいい**

僕自身の経験でも、この「補償」によって成長したアスリートはたしかに存在します。そのような意味では、コンプレックスが人を成長させるというのは、紛れもない事実ではあります。

ただ、一方でそのようなネガティブな心での成長では、ある一定のレベルまでしかいけないという印象もあります。真の一流アスリートたちをみると、当初はコンプレックスがバネになった部分があっても、努力を重ねていくうちにそれをすっかり克服して、もっと別の目的意識を持つなどしてさらなる成長につなげているのです。

自分自身に当てはめてみてもそうです。「こんちくしょー、絶対に見返してやる！」――そんな想いを抱いたことは一回や二回じゃないです。でも、そんなネガティブなパワーに引っ張られて、いざ、相手を見返すことができる立場になったとき、「あれ？」って拍子抜けするほど、「見返す」必要がなくなっている自分を発見します。

つまり、コンプレックスというのは、人の成長にはスタートダッシュにしかならないのです。見返せる立場に到達した時点で「目的」は果たしており、その点においては心が満たされてしまうからだと自分の経験からは思います。むしろ、コンプレックスにとらわれてしまうことで、自分自身の心を縛って、自らの可能性を制限して、成長を阻害するという問題のほうが大きいと実感します。スタートダッシュには効果はあるので、コンプレックスパワーはまさに使いようではありますが。

少し飛躍しますが、そんなコンプレックスの持つ功罪を象徴するのが「田舎者」という言葉だと思っています。

## 「田舎者」というコンプレックスは自分自身が生み出している

地方出身の人は、「私は田舎者だから東京が怖くて」というようなことを自嘲気味に言ったりすることがあります。

ただ、よく考えてみると、この言葉はとても不思議なものではないでしょうか。本来は東京にも地方にもいいところや悪いところがあって優劣など存在しないはずです。東京に住んでいることが偉いわけでもなければ、田舎に住んでいるのが恥ずかしいことなどあるわけがありません。しかも、もっと言ってしまえば、東京に住んでいる人の大多数は、地方からやってきた人たちです。

そのような意味では、地方出身者が「田舎者」などと自ら劣等感を感じる必要などまったくないはずです。しかし、令和の今でもこのような言葉が存在して、地方出身者の中には、コンプレックスを抱いている人たちもいます。

中には自分が田舎者だからということで、そこまで自分に自信が持てず、「こんなことは無理かもしれない」と、自分の可能性を制限してしまっているような人もいます。

そもそも、江戸時代までは幕藩体制なので、地方はそれぞれが言ってみれば一つの「国」でした。江戸は徳川家の拠点とはいえ、地方の人々は自分の国に誇りを持ち、江戸に対して引け目を感じるようなこともありません。しかし、それが明治時代になって、東京一極集中の中央集権型国家がつくられたことで激変します。西欧列強に負けないため、「富国強兵」のかけ声とともに、優秀な人材も、国家機能も、民間企業もほとんどすべてが大都市・東京に集約されたことで、地方の衰退が始まってしまったのです。

## 「なんとなくわかったふり」を抱えて生きる都会人

このあたりは第四章でくわしく考察していきますが、地方の衰退が、「田舎者」という根拠のないコンプレックスを生み出し、それにとらわれて「自分は田舎者だから」と自分自身で行動にブレーキをかけてしまっている人を時折見かけます。

また、それは地方から東京に出て長く住み、一見すると都会に馴染んでいるような人にも当てはまります。どんなに「東京人」という顔をして生活をしていても、心のどこかに「田舎者」という負い目があるので、何かわからないことに直面しても、素直に「知らない」と言えないのです。

「東京を知らない＝田舎者」と見られることを恐れて、知ったかぶりをしてしまい、結果として東京に対する知識が深まらないという悪循環に陥っているのです。

かくいう僕は東京出身ですが、大田区羽田という東京の最南端に生まれ育ちました。一二歳の春に千代田区神田という今度は東京のど真ん中の中学校に通うことになりました。最初のころはあまりの大都会ぶりに、自分が圧倒されました。そしてクラスの仲間と仲良くなるにつれ、「どこからきたの？」という質問をし合います。無邪気な中学生です。「羽田からきた！」と言うと、「なんだよそれ、空港じゃねーの？　人住めるのかよー！」と小馬鹿にされたのを今でもはっきり覚えています。見た目の大都会感に圧倒された状態ですので、「羽田は田舎なんだ」という思いを感じるのは十分な衝撃でした。

でも、結論としてはすぐにそんなコンプレックスは霧散してしまいました。圧倒された大都会も一ヵ月もすれば日常の生活圏となるし、羽田よりも遠くに住んでるヤツ、そもそも聞いたこともないところに住んでるヤツ、そんなヤツだらけで、生まれた場所についていちいち優劣をつけたり感じたりする意味が、時間とともにどんどんなくなっていったからです。生まれた場所なんかよりその本人が面白いかどうか、そっちのほうが自分にとってよっぽど重要なことだと自然に学んだのだと思います。

このようなコンプレックスの弊害については、学術の世界でもよく言われています。たとえば、スタンフォード大学心理学部のクロード・スティール教授も、〝ステレオタイプ脅威〟という概念を用いて指摘しています。

これは一言でいえば、コンプレックスを克服しようと無理してがんばったら、逆にダメになるという現象です。

一例をあげれば、男女を集めた集団に数学のテストを受けさせる前に、「女性は数学が苦手だ」という俗説を話しておくと、女性たちのテストの点数は下がったそうです。「田舎者」と同様に、根拠のないコンプレックスが人のポテンシャルを大きく損ねているのです。

## 強い自信を得るために

ただ、一流のアスリートたちにはこのような根拠のないコンプレックスにとらわれている人は非常に少ない、むしろ皆無と言ってもいいくらいです。「田舎者」などと自分を卑下する人はまずおらず、自分の故郷や地方出身者であることをむしろ胸を張って話す人のほうが多いのです。余計な見栄を張ることもありません。等身大の自分で、ありのままに生きている方が多い印象なのです。

では、なぜ一流のアスリートはコンプレックスを抱えることがないのでしょうか。

オリンピックに四度も出場しているアルペンスキーの皆川賢太郎さん、同じく四度オリンピックに出場して四個もメダルを獲っている競泳の松田丈志さんと、皆川さんの実家の新潟県湯沢町の苗場に泊まり、食事をしたときのエピソードです。夏の苗場は川の水が綺麗で、まさに非日常の体験となり、東京生まれの僕はとても感動したのですが、宮崎県出身の松田さんには「僕は子どものころ、こんなところでばかり泳いでましたよ！」と言われました。そして、「日本の田舎ってやっぱ最高ですね！」とガハハと豪快に笑い合っていました。

彼らの目はスポーツを通じて、幼少のころから世界を見ていたのです。だから、東京への憧れなど実感したことがない、と口を揃えます。そして自分を育ててくれた大自然への愛をまっすぐに表現していました。

わかりやすい事例ですが、とくに一流のアスリートは幼少期より田舎や都会という地理的概念を超えて、世界で活躍する自分を夢に描くことで、東京や大阪という枠にハマらない世界観の中で生きていたのだと思います。同時に、大舞台で活躍したり、海外の試合などで揉まれたりする中でさまざまな体験を重ね、洗練されていくという過程をたどるのだと感じました。

そんな中でも、彼ら彼女らが経験してきた「**カッコいい自分になる**」ための「**前向きなトレーニング**」**の蓄積**、という要素が大きいと僕は考えています。

一流アスリートが凄まじいトレーニングを経験してきたのは言うまでもありません。その背景にあるのは、「カッコいい自分」をまっすぐに追求する目的意識だと思います。

それにより、人並み外れた困難を乗り越えてきたという事実が、彼ら彼女らに人並み外れた「強い自信」を与えて、それによって不要なコンプレックスなど発生する余地がないのだと思います。

そして、この「強い自信」が、揺るぎない「信念」などにもつながり、彼ら彼女らの人間としての強さにもつながっている可能性があるのです。

過酷なトレーニングをくぐり抜けてきた一流アスリートになればなるほど、しっかりとした「自分」というものを持っています。そして、精神的な強さがあるからこそ、信念をもった行動が取れるのです。

## レジェンドたちの人間性

野球界のレジェンドである王貞治氏や故・野村克也氏にもそれは当てはまります。アスリートとしての輝かしい功績よりも、今となっては人格者として、むしろ文化人という立ち位置での活躍のほうが記憶に新しいと思います。

つまり、日本人の一流アスリートたちは、単にスポーツで素晴らしい成績を残すだけではなく、競技以外での立ち居振る舞いや、人間性の部分でも素晴らしい、社会人としてしっかりとした人に成長していくケースが多いと思っています。大相撲で言えば、時折品格という曖昧な定義が物議を醸していますが、その根拠になる考えが「横綱という立場が人をつくる」というものだと思います。昔から、大小の幅はあったとは思いますが、それなりの立場になったら自然と人は成長する、という考え方でしょう。ここからも、コンプレックスパワーから脱却して社会的意義などに目的を変えられた力士たちが横綱級の立ち位置まで上がることができる、ということが言えるかもしれません。

もちろん、「多少素行に問題があっても、スポーツで結果さえ残せば問題はない」と言わんばかりに奔放な振る舞いをして、トラブルを起こすようなアスリートも少なくないです。これはこれで、情報化社会の現代では良くも悪くもあらゆる状況が明らかになってしまうという要素も大きいと思っています。ひとたび有名になれば、それこそ生い立ちから好きな食べ物まで、人々の貪欲《どんよく》な興味の対象となってしまいます。明らかな犯罪行為は論外ですが、そもそも人は個性があるので、我々スポーツを見る側もそんな多様性を受け入れる器量を持つことが求められるのだと思います。

いずれにしても、一流アスリートは総じて、社会人としてもしっかりとした人物が多いと感じます。いろいろな考察があると思いますが、彼ら彼女らの人間性を間近に見た経験から言わせていただくと、「カッコいい自分」をイメージし、厳しいトレーニングを前向きに続けることで、単なる肉体的な鍛錬にとどまらない自分自身の内面を鍛えることができ、「自信」という心の強さにつなげているからではないか、と僕は感じています。目的と達成、これらを日常的に繰り返し、成長のサイクルを身につけること。その過程において「無意味なこと」を徹底して排除する合理性も自然と身につけることが可能になるのだと思います。

そう考えるとむしろ、**一流アスリートたちが本当に鍛えているのは、身体ではなく心**のほうなのです。裏を返せば、このような「目的」を明確に意識しているからこそ、アスリートとしても一流になれるし、人間としても日々成長できるのではないでしょうか。

このように個人レベルの目的論の実践として、心と身体を鍛えるという極めてシンプルな目的を持つスポーツの力は絶大なのです。

では、このようなスポーツが生み出した目的論の力が、個人の集合体であるチームや組織でどのように生かされているのか、次章では見ていきましょう。

# 第三章

# 「なぜそれをやるのか」を知っているチームは強い
## ～組織の目的論～

## 説得力ランキング

ここまで、「目的」が人を強くするということについて、みなさんにご紹介してきました。

前章でも触れたように、一流のビジネスパーソンたちが筋トレやランニングにのめり込むのは、自己鍛錬を通じて人間としての自信を獲得する、すなわち「カッコいい自分になる」という「目的」が達成され、その自信が他者への優しさなどを育み、人としてひとまわり大きく成長させてくれることもあるはずです。

では、そんな「目的」の可能性をここからさらに考えてみます。「目的」が人を強くするのならば、人が集まった集団、つまりは「組織」を強くすることもできるのでしょうか。

結論から先に申し上げると、その答えは「できる」です。

僕の創業したドームという会社はこれまで「スポーツを通じて社会を豊かにする」というミッションを掲げて、プロ・アマチュア問わず、さまざまなスポーツのチームを見てきました。そこで痛感しているのは、「目的」を強く意識しているチームは、圧倒的に強いということです。

「強豪」と言われるチームは、トレーニングひとつ、ミーティングひとつとっても、これはなんのためにやっているのかという「目的」がチーム全体で共有されていることが、唯一の共通点といってもいいかと思うほどです。「なぜそれをやるのか」という「目的」が、チームを強く成長させている、ということだと思います。

突然で恐縮ですが、僕は自分で勝手につくった「説得力ランキング」という指標を持っています。

**1. 自分の体験談**
**2. データに基づく話**
**3. 他人の体験談**

というランキングです。これは、自分が一番説得される要素ってなんだろう？　って考えて編み出したランキングです。反対から見れば、「説得するランキング」にもなりますね、当たり前ですが。

それぞれ個別でもそこそこの説得力があるのですが、まとめて使ってみると、

「僕がアメリカンフットボールの選手だったころ、ご飯を食べても食べてもなかなか体重が増えなくて苦しみました。でも、大学二年生のオフシーズンに体積の大部分が筋肉である下半身をより強化しよう、と思ってスクワットを増やしました。するとみるみる体重が増えていきました」

「具体的には、体重九〇キログラムの壁がずっと破れなかったのですが、一二〇キログラムのフルスクワット一〇回×五セットを二日おきに実行しました。すると一ヵ月もしないうちに体重は九〇キログラムを超え、九五キログラムまで到達しました」

「ちょうどそのころ、元横綱の貴乃花がまだ貴ノ花と名乗っていた時代で、同じように下半身のウェイトトレーニングで体重が増えた、という雑誌の記事を見つけました。それでますます下半身強化に身が入りました」

という具合です。体重を増やしたいアスリートは、すぐにでもスクワットをしたくなった

のではないでしょうか？

## 常勝日大を倒す

ここでは「自分の体験談」をお話しすることで、「目的」がチームを強くする、ということを話していきたいと思います。

少し恥ずかしいですが、学生時代の話です。

もともと僕が「スポーツを通じて社会を豊かにする」というミッションを掲げてドームという会社を起業したのは、高校、大学を通じて打ち込んでいたアメリカンフットボールの影響が大きくあります。社会人になって、起業という道を選ぶ以前に、大変幸運にも「目的」をもった学生時代を送ることができました。それが現在の自分にどのような影響を及ぼしたのかを、できるだけ客観的に考察してみます。

僕は羽田の自宅から比較的近所である神奈川県川崎市にある法政二高に入学しました。その理由は、法政という学風に「バンカラ」で「豪快」というイメージを勝手に持っていて、自分の性格にマッチしているんじゃないか、という直感からでした。とくに受験そのものに「目的」を感じなかった僕にとっては、大学に進学する意味も「周りが行くから」というもの以外に思い浮かばず、付属校に入れば難しいことを考えずにそのまま大学に入れる、くらいのカジュアルな感覚でもありました。

ただその法政二高で、アメリカンフットボール（以後「フットボール」または「アメフト」）という熱中できるモノと出会うことができました。そこで三年時にはキャプテンとしてチームを全国ベスト8に導きました。その流れで法政大学へ進学した後も、体育会アメフト部に入りました。そして、当時のこの世界ではかなりエポックメイキングなことを達成することができました。

僕らが学生のころの学生フットボールの世界では、日本大学が絶対的な強さを誇っていました。試合をやれば負けなしの「常勝軍団」ということで、なんと五九連勝という前人未到の大記録を継続していました。しかし、そんな日大にも敗れる日がやってきます。その六〇連勝を阻んだのは、僕が主将を務めていた法政大学アメフト部だったのです。

では、当時の法政大学は、そんな常勝軍団に土を付けるほど強いチームだったのかというと、僕が入学したときはまったくそうではありませんでした。弱小チームと言っても過言ではなく、事実、僕が一年生のときには一部リーグの最下位で、二部リーグとの入れ替え戦でギリギリ勝ち残った、そんなチームでした。

## 響かない「人生を懸けろ」「骨は拾ってやる」という発破

なぜその後、たった三年で無敵の日大に勝てるようになったのかというと、まさに「目的」の力だと確信しています。

「なんで俺はこんな厳しいことをやってるんだろう」
「なんで負けるとこんなに悔しいんだろう」
「こんな苦しい思いをして、いい人生を歩めないとしたらどれほど馬鹿らしいだろう」

高校時代とまったく異なり、周りは先生にすら怒られることなどない自由気ままな大学生ばかりです。そんな素敵な生き方を横目に、「なぜこんなことをやってるんだろう」という「目的ロス」の状態が一年生のころでした。

そんな悶々《もんもん》とする日々を過ごしている中、目的探しの中で気づいたのが「長い人生を豊かに過ごすためにフットボールをやっている」ということです。高校のときも大学のときも、「厳しい」「理不尽」「危険」とわかっていながら、運動部に入部したきっかけは「このままなんにもしないで学生時代をだらだらと過ごしてていいのだろうか」という漠然とした不安感でした。

ポジティブにいうと、「自分を鍛えるためになにかしらの部活に入るべきじゃないか？」ということです。つまり、厳しい部活に取り組むことで、自身が成長するのでは、という期待、そして成長の暁には自分の人生がより良くなるのでは、という漠然としたイメージがありました。

僕がフットボール部に入部したのも、そしてすべてのチームに勝ちたかったのも、「その後の人生を豊かに過ごす」という「目的」があった、ということです。勝つことは目標ですが、目的ではありません。目標を追うことで、目的を果たす、目標と目的はそんな相補的な関係だと思います。

とくに考えていたことは、「フットボールのための人生じゃなく、人生のためのフットボールだ」ということです。当時のコーチや先輩からは「この試合に人生を懸けろ」や「人生でこの試合より大きなことなどないぞ！」などと言われることが多かったです。でもそういうことを聞くたびに、僕は「長い人生、二〇年目に頂点を迎えるなんてあり得ない」と心のなかで冷静に受け止めていました。むしろ「シラけてた」というほうが適切な表現だったと思います。僕は直接言われたことはありませんが、

「ここで死ね！　骨は俺が拾ってやる！」

という決めゼリフも多くの体育会にはあるそうです。そんなことを言われたら、「お前が勝手に死ねばいいじゃん。ってか、そもそも死ぬわけないし」と思っていたと思います。

なぜ、そんな風にシラけていたかというと、それは「長い人生を豊かに過ごすためのフットボール」が僕がフットボールをがんばる目的であり、負けられない理由だったからです。試合は努力や準備の結果です。その準備や努力が正しければ勝てる、そして、それは人生を豊かに過ごすために役に立つはずだ、と考えていました。だから、「絶対に負けられない」と思ったわけです。

すなわち、試合とはこれからの人生に役立つ経験の体得であって、決して人生の頂点ではないのです。そこで死んでしまう、あるいは人生の頂点であるならば、「体育会の目的、試合の目的とはなんだろう？」と、反対にそんな疑問が湧いてきて、まるでがんばることができなかったと思います。

## 「玉ねぎの皮をむく」ように自身を深掘りする

僕は一年生のころから「長い人生を豊かに過ごす」という目的を達成するため、「絶対に日大に勝つ」という目標を定めて、チームを強くしたい、そんな思いを強く持ちました。具体的なモチベーションもありました。高校生まで同じようなレベルで戦っていたライバルたち、そのなかでも日大に入学した同級生たちが、キラキラ輝いて見えて、眩《まぶ》しくてもはや同級生とは思えないくらいの威光を放っていたからです。

反面、法政フットボールは当時万年最下位かビリから二番目でした。おまけに付属高校同士のライバル関係にあった早稲田や慶應は、高校時代は見事に打ちまかしていたのですが、大学ではまるで歯が立たない相手となっていました。

そのときに「こんなに厳しくつらい思いをして、日大にはまるで敵わない、それどころか相手にもされてない。学力のレベルでも勝てない早慶にフットボールでも敵わない。俺の人生はこれから先どうなるだろう」という強烈な危機感を覚えました。

とくに日大は「フットボールに人生のすべてを懸けろ！」という典型的なチームです。ここに勝つには、より「個々を奮い立たせる目的」を掲げなければならない、そう直感的に思いました。つまり、ただひたすら「勝利を狙う」のではなく「なぜ勝たねばならないのか」「法政フットボールが勝利に向けてがんばる理由は何か」という目的を深掘りして考えました。

ちなみに、僕の中で、こうした自身の思考を深掘りする作業を「玉ねぎの皮をむく」と呼んでいます。むいてもむいても中心にはたどりつかない、それほど本来自身の持っている思考とは奥深くて、確たるものがない、というニュアンスです。中心にたどりつかないかもしれないけれど、自分の心の皮をむき続けること、とくに新しい挑戦をする際には、思考を深く重ねていくことが何よりも重要だということです。哲学的な思考方法ですが、僕は「玉ねぎの皮をむく」のほうがわかりやすいです。

## 圧倒的な実力差を前に「尊厳」を見失う

その過程で「俺は日大のやつらと違ってフットボールのために大学に入ったんじゃない。カッコいい人生を歩むために、大学に入って、自らの意志でフットボールを始めた。俺のフットボールは人生のためのフットボールだ」。そんなことが頭に思い浮かびました。そして、

「よし、フットボールの勝負は俺の人生のリトマス試験紙だ。負け続ける大学生活なら、人生も負け続けるだろう。でも、もし日大に勝つことができれば、人生においても叶わないと思うようなことが実現できるかもしれない」

そんな具体的なイメージが湧いてきました。もちろん、「玉ねぎの芯」のようにたしかな

かたちは見えません。でも、心の中の皮をむき続けることで、ぼんやりとした輪郭がみえた気がしました。この輪郭をよりくっきりさせるには実践しかありません。

心の中で勝つ目的がある程度定まった僕は、日大に勝つためにはどう戦うべきか、その戦略を実行するためには何をすべきか、と戦略的な思考とともに、チームを統率するためになにをすべきか、などなど個別の課題を同じように哲学的に深掘りしました。

同時にアメフトとはどんな競技か？　ここも歴史的な背景から、アメリカにおける強豪と言われるチームの具体的な戦術まで再び勉強し直しました。もちろん、当時最強だった日大のビデオは、毎日擦り切れるほど見ていました。今振り返ると、よくそんな生活で留年せずに卒業できたと思います。でも、自分の成長を目的に掲げて、燃えて過ごせたこの四年間は本当にかけがえのないものになりました。

結果的に、チームメイト全員が僕と同じ目的意識を共有し、「なぜ我々は勝たねばならないか」を考え、また戦術面の根本的見直しを行うことで、チームを「日大に勝つ組織」へと成長させることに成功しました。

ただ、そこまでの道のりは順風満帆ではなく、じつはこのアメフト部の一年生のとき、僕は腐りかけていました。アメフトをやめてしまうことも頭によぎるほど、追い詰められていたのです。当時、毎日日記を書いていたのですが、自分を「ボロ雑巾」と呼んでいました。

なぜかというと、**「尊厳」を見失っていた**からです。

高校時代にベスト8で敗れた際も、相手は日大鶴ヶ丘高校という日大の付属校でしたので、僕のなかではどこか「日大はライバル」という気持ちはありましたし、強豪チームを率いるキャプテンというプライドもありました。

ところが、大学に入ると先ほども申し上げたように当時の日大はケタ違いの強さで、我々とは圧倒的な実力の差がありました。一年生、二年生のときはともに完封負け、しかもファーストダウン（攻撃権の獲得。これを重ねなければ守備機会が増え、試合は劣勢になる）はそれぞれ一回、二回の獲得と、野球でいえば「一〇対〇、しかも一安打完封負け」というくらいに手も足も出ませんでした。

つまり、監督やコーチを含めて、口では「打倒日大」を掲げながらも、玉ねぎの皮を一枚むいてみると「そんなの無理だよな」と自分たちの本音を隠している、つまりチーム全体が「嘘をついている」という状態でした。

## 「可愛がり」と惰性で非効率な練習

所属するチームがそんな状態の中、僕の「ボロ雑巾」感に拍車をかけたのが、朝から晩まで行われた過酷なしごきでした。自分で言うのもなんですが、高校アメフトでベスト8になったチームの主将ですので、外から見れば、期待のルーキーが鳴り物入りで入部という感じだったはずです。

しかし、年功序列の体育会の世界ではそれがかえって仇《あだ》になりました。先輩たちからの風当たりも強く、徹底的に「可愛がられ」ました。三〇年前ですので、しごきはかなり暴力的なものであり、現代だったら大問題になるような「体罰」もまだ存在していました。

同時に、当時のアメフト部の練習は、なんのためにそれをやっているのかわからないものが多くありました。歴代の先輩がやっていたことを惰性で続けていたものばかりで、「試合に勝つ」ことを想定した実戦的な練習メニューが少なかったのです。

「勝つ」という目標とは裏腹な本音を持つチーム、それを象徴する非効率な練習、朝から晩まで続く「仕事」と名付けられた数々の雑用、過酷なしごきで毎日ヘトヘトになっても、試合に出られるわけでもない、自分はいったい何のためにこんな苦労をしているのだろう、という日々を送っていた一八歳の自分を「ボロ雑巾」だと感じました。今思えば、先輩たちも専任のコーチがいたわけでもなく、「勝つ」ための具体的な知恵や知識は持っておらず、その矛先が後輩を「可愛がる」ことにしか向かえなかったのだと思います。

心の中ではそんな葛藤に悩まされながらも結局、僕は壁を乗り越えてがんばれました。それは、一年生のシーズンオフ、ごくわずかな期間、試験のために部活が休みになったからでした。文学部の教授であった新しい部長先生が、「学生であるから学業を最優先すること」という方針を打ち出したことで、僕の入学する前年から「試験休み」期間が設定されていたのです。

その後の人生にも当てはまることですが、僕自身が自意識過剰で、「自分が組織を改革した」などと思い上がることもあるものの、冷静に振り返ってみると、そんな思い上がりの僕を温かく包んでくれる素晴らしい人生の先輩がいたことに気づきます。その新しい部長先生、故・山村直資《なおすけ》先生の導きのおかげで、少し間をおいて人生とフットボールについて考えるきっかけが舞い込んできたのです。

余談ではありますが、山村先生のご葬儀のとき、先生の笑顔の遺影をみた瞬間に、僕は不覚にも号泣してしまいました。それまでまるで気づかなかったことでしたが、法政フットボールの改革、そして強豪へのスタートは山村先生であったこと。同時に、どんなに弱いチームでも、その時代時代をなんとか支える先輩がいたこと、山村先生の遺影からそんな大きな絵が透けて見えてしまい、自分の小ささに気づき、感情の糸が切れてしまいました。生前になぜ気づかなかったのか。自分を悔いる気持ちも強かったです。

閑話休題。

## 個人的意識改革と戦略の研究

「自分はここで諦めるほど努力したのか？」

チームが、先輩が、と周りばかりを批判していて、自分自身への疑問を避けていたんじゃないか？　試験休みのときに、心にゆとりができたことでそんな思いにたどりつき、そうするとなぜか情熱がムクムクと心のなかに溜まってくるのを感じました。これも教訓ですが、何をするにも「休み」「心のゆとり」は本当に重要だと実感しました。

まず「**ボロ雑巾からの脱却**」です。

そのためには、個人ももっと努力する。つまり二年生になることで雑用から解放され、その時間をトレーニングに充てられます。同時に、誇りを持てるチームにすること。このふたつが揃うことで、ボロ雑巾から脱却できます。いくら日大が強いといっても、同じ大学生です。やりようによっては勝てるはずだという、ごくわずかな希望的観測がありました。同時に、高校時代から試合をどう組み立てていくのか戦略を練ることが趣味で、試験勉強よりよっぽど楽しく、熱中できる作業でした。

ちなみに、僕の戦略好きというのは、小中学校のときからの筋金入りのものです。当時はバレーボールをしていたのですが、いつもどのようなフォーメーションで、どのような作戦で戦えば勝てるのかを考えていました。バレーボールに関する戦術や技術について、ありとあらゆる本を読み漁りました。

なぜそうなったのかというのは、自分でも明確にわかっていて、子どものときから何度も繰り返し繰り返し読んでいた「三国志」の影響です。あの壮大な歴史戦記のなかには、さまざまな戦略が登場します。戦いの物語に幼いころから慣れ親しんでいた少年が、スポーツにのめり込んで、戦略を考えることに夢中になっていくというのは、とても自然な流れなのではないでしょうか。

## 敵の攻撃機会を抑え、接戦に持ち込む

そんな戦略好きの僕にとって、「日大」という難攻不落の要塞を落とす戦い方を考えることは、非常にやりがいがあって、楽しくも難解なジグソーパズルをやっているようなものなので、それこそ朝から晩まで、さまざまなアイディアを巡らせていました。

そして僕は、「打倒日大マニュアル」というものをひとりでつくりはじめました。ハードな練習の合間を縫って日大の試合を徹底的に分析し、何をすれば日大に勝てるのかという戦術と、それを実行に移すための練習方法を大学ノートに書き連ねていったのです。

そして、この「打倒日大マニュアル」に基づいて、僕はチームの改革に乗り出しました。先輩たちも僕の提案に耳を傾けてくれたのです。

といっても、まだぺーぺーの一年生ですから、練習前にはだれよりも早くやってきて、部室の掃除や準備などをしなくてはなりません。先輩からの厳しいしごきも受け、時には殴られるようなこともありました。

しかし、それがフォーメーションの練習になると一変して、「打倒日大マニュアル」を手に、先輩たちに対して日大に勝つ戦略を提案し、それに基づいて練習内容にさまざまな指示をしてチーム改革を先導する、というなんだかよくわからないポジションの部員になってい

ったのです。

では、日大に勝つために具体的にどのような戦略を立案したのか。あまり専門的な話をしても、アメフトに詳しくない方にはなんのことやらという感じだと思います。初心者の方にもわかるように、大事なところだけをかいつまんで説明すると、「プレイの数を減らす」という戦略をとったのです。

日大の試合を見ていると、前半はかなり相手チームが善戦しているケースも多いのですが、後半になると日大が得点を重ねて一気に突き放すというのが、彼らの「勝ちパターン」だということがわかりました。

日大というチームの象徴である豊富な練習量からくる、個人のスキルや体力の高さがその背景にあります。僕はこの「勝ちパターン」に乗らないということに勝機を見出しました。

アメフトは限られた時間内に、より多く得点することを競うスポーツです。よって、日大が後半に得点を重ねるのを阻止するには、究極、プレイの数を減らせばいいわけです。アメフトというのは、サッカーのように試合中ずっとプレイヤーが動いているわけではありません。チーム内で戦略を会議（選手が集まってプレイの相談をするのを「ハドル」と呼びます）してプレイします。それが終わると、またハドルで戦略を組み立てプレイするということが繰り返されていきます。では、時間（時計）はどういうときに止まるのか。

アメフトの攻撃には、パスプレイとランプレイという二種類があります。パスプレイは、文字通りパスを投げて味方がそれを受け取るというもので、ボールを受け取ったレシーバーがサイドラインを出たり、パスが失敗したりすると、時計が止まってしまいます。一方、ランプレイは、プレイヤーがボールを持って走るもので、基本的にはサイドラインを出ずに相手にタックルされても時計は止まらずにそのまま流れていきます。

このような違いがあるので、どうしてもパスプレイのほうが、時計が止まりやすくなることは言うまでもありません。それは裏を返せば、ランプレイを多くすれば、より長い時間を使うことができ、相手の攻撃時間を奪っていくことで、相手のプレイ数をかなり抑えることができるということです。

法政がランプレイを増やすことでプレイ数を抑え、日大の攻撃機会を抑えることができれば、僕たちにも勝機があるのではないか――。

そう考えた僕は、徹底的にランプレイを重視するという戦略を採ることにしました。そうなると、練習内容もこれまでとまったく変わってきます。たとえば、練習を一時間するとき、以前ならばランプレイとパスプレイを半分ずつ練習していたところ、ランプレイを五〇分練習し、パスプレイの練習は一〇分にしました。

とりあえず昔からの練習時間配分でバランスよくやっておくかという「目的」のない練習

から、明確に「日大に勝つ」という目的に基づいた練習にガラリと変えたわけです。

こうして「目的」に基づいたチーム改革を進めていくと、僕が二年、三年と上級生になるころには、法政大学アメフト部のカルチャーや、部員たちの間の空気も徐々に変わっていきました。

たとえば、これまではとにかく、ハドルを組むときもダッシュでキビキビと動くことを徹底しなくてはいけないという精神論のようなものがあって、少しでも遅れると厳しく叱責されるようなムードがありました。しかし、先ほども申し上げたように、「プレイ数を減らす」という目的があるので、急ぐことにはなんの意味もありません。それよりも、じっくりと戦略を練りつつ、ゆったりと準備をすればいいという余裕のようなものが生まれました。

## 自主性と理念の共有

ここまでカルチャーを百八十度変えることができたのはなぜでしょうか？　戦術面の大きな改革を進める一方で、僕がもうひとつ進めていた、メンタル面の改革によるところも大きいと思います。

その改革とは一言で言うと、とにかく部員たちの「**自主性**」**を養う**というものです。

僕が入部したときのチームは、とにかく先輩の命じたことに忠実に従うというしきたりが求められ、そこに疑問を抱くようなことは許されませんでした。どやされたり、叱られたりしながら、与えられた厳しい練習をこなしていくという自主性のかけらもない状態だったのです。

しかし、それでは日大に勝つことができなかったのですから、このような指導スタイルは、僕たちのチームには合っていないと考えるべきでしょう。

しかも、倒すべき日大は、凄まじい練習をしていることで当時から有名でした。僕たちよりも厳しい練習をして、僕たちよりも部員の数が多く、僕たちよりも個々のスキルが高い。そんな日大に勝つために、日大と同じようなことをしても勝てるわけがありません。

となると、これまでとはまったく別の発想で、チームをまとめていくしかありません。そこで僕が出した結論は「理念」でした。

法政大学の建学の精神である「**自由と進歩**」です。

一般的な大学の建学の精神というのは、慶應義塾大学の「独立自尊」や早稲田大学の「学問の独立」など、教育理念や育成する人間のあるべき姿が掲げられていることが多いのですが、法政はちょっとユニークです。「自由」と「進歩」と、どちらの言葉もアクセル全開でブレーキがないというか、かなりポジティブな理念が掲げられています。

実際、このような理念もあって、法政というのはとにかく自由で明るい学風があります。僕もそれを気に入って、法政に通っていたというところがあります。そして、それはアメフト部にも言えました。厳しいしごきや体罰のようなことがあっても、練習が終われば、みなカラッとした明るい人間が多く、陰湿な感じはありません。むしろ、ふだんは「自由と進歩」に象徴される法政っぽい明るい人がいるのに、無理をして厳しい上下関係や怖いムードをつくっていたような印象でした。

ですから、僕は上級生になって、これをガラリと変えました。まず、明るいチームにするため、体罰など暴力的な慣習は一切禁止にしました。日大と同じことをして勝てるわけがないですし、そもそも僕には暴力は振るうのはもちろん、見るのも無理でした。「自由と進歩」を掲げる法政ですので、当時の体育会にしては画期的なくらい自由を目指しました。

そして、部員全員が命令されて動くのではなく、自主性をもって動けるチームを目指しました。僕が強烈なリーダーシップを発揮して、部員たちをひれ伏させるようなチームではなく、リーダーが示したビジョンを、各自が自分の頭で理解して、そこへ向かって自主的に動いてくれるようにしたかったのです。

それができれば苦労はない、というリーダーの方もいらっしゃるかもしれませんが、このような理念の共有というのは、じつは意外なことでなし得ていけるものなのです。

たとえば、僕がこのようなチーム改革の中で重要視したのは「部室の掃除」の徹底です。下級生はもちろん、上級生であっても、部室内を常に整理整頓するようなルールをつくりました。

日大に勝つことと、部室がきれいとか汚いなんてことは直接的になんの関係もないじゃないかと思う方もいらっしゃるでしょうが、じつはこれは強いチームに必要不可欠なことです。部室やロッカールームが汚いチームは、まとまりがなく弱いケースが多いのです。

これはちょっと考えれば当然です。たとえば、戦争で部隊を率いるリーダーが、危険地帯を進軍中に「こっちの道を行くぞ」と兵士たちに告げたとしましょう。そこで、兵士たちが「いや、俺はこっちのほうが安全だと思います」とか「このままここにいたほうがいいと思います」など、思い思いのことを言い出して、バラバラに行動をし始めたらどうなるでしょうか。この部隊は崩壊して、敵に襲われたら全滅してしまうでしょう。

リーダーが「右に行く」と言ったら、全員がそれに従う。それが強いチームです。たかが部室の掃除と思うかもしれませんが、こういうところに組織の本質が浮かび上がるのです。つまり、リーダーが部室をきれいにするように呼びかければ、全員がそれに従って部室をきれいにする。このような目的意識が共有できているチームというのは、戦いにおいても同じように目的意識が共有できるのです。

## 力や恐怖ではなくリーダーの「徳」で治める

事実、僕も一年生のときに、部室をピカピカにしていました。しかし、それは部室をきれいにすることがチームを強くすることだ、なんて目的意識は皆無で、単に先輩たちが怖くて、仕方なくやっていただけです。でも、なぜ部室をきれいにしないとならないか、その意味を知ること、それが勝利に近づくことを理解すれば、自ら部室をきれいにするはずです。軍隊の日常は、掃除はもちろん、軍服やベッドに至るまで完璧なまでの整頓が求められます。日常的に統制が取られていることは、有事の際にも各自が整然と指揮系統に従って動けることと結びついているのは想像に難くないでしょう。

このように力によって人を統率することを、孟子は「覇道」と呼びました。圧倒的な武力で天下を治めることです。これに対して、力や恐怖ではなく、リーダーの「徳」をもって人を統率することを、孔子は「徳治」と呼びました。

僕が日大に勝つために目指したのはこの「**徳治**」のほうです。

当時の日大は凄まじい練習量と統率力で、大学アメフトの世界で天下統一を果たしていたと言っても過言ではないほど、圧倒的な強さを誇っていました。まさしく「覇道」を地でいくスタイルです。

これに勝とうと思ったら、同じような「覇道」を突き進んでも勝てるわけがありません。法政ができることはひとつ、「徳」をもって、チームを強くしていくことでした。「打倒日大」という「目的」を明確にして、それを全員が共有して、各自が自主性をもって、自分は何をすべきかを考えるようになってもらう。そんな「徳治」の成果が、五九連勝の日大を止めることにつながりました。

「徳治」によって強いチームをつくれた効能は、僕の想像を超えるほどの威力がありました。主力選手が多かった僕の代が卒業してからも法政大学アメフト部が強さを継続しているということです。

一九九四年から関東大学リーグ戦で八連覇を果たし、二〇〇四年から一四年まで同リーグ戦で七三連勝を記録。学生アメリカンフットボール界では常に上位に位置しており、甲子園ボウル優勝（大学日本一）の栄冠にも何度も輝いています。

もし当時のアメフト部が「安田の代のチーム」だったら、僕らが卒業したら弱くなっていたはずです。しかし、現実は逆で、むしろどんどん強くなっていきました。つまり、僕がやったことは、単に厳しい上下関係と非合理な練習をしていただけの運動部を、「目的」に基づいて何をすべきかということを自分たちの頭で考える「合理的な組織」へと生まれ変わらせた、ということでした。

そのような「勝つための組織」の本質を後輩たちが引き継いでくれている限りは、法政大学アメフト部は、きっと大丈夫だろうと考えています。

## 人間を育てることが「勝つための組織」づくりの根幹

さて、僕の実体験に基づいて、「目的」を持った組織というのがいかに強くなれるのか、ということを説明させていただきましたが、おそらくこのような経験をしているリーダーは、世の中には数多く存在するはずです。

僕が社会人になり、経営者になってからさまざまなリーダーの方たちと出会い、お話をすることがありますが、そこで感じることは、強い組織をつくっている人ほど合理的で、目的に対してまっすぐなアプローチをする人ばかりです。あらゆる規則や習慣にも「なぜそれをやるのか」という意味をつけています。

企業経営者ならば、経営戦略がどうとかそんな理屈ではなく、そもそも、「なぜこの仕事をするのか？」という、がんばる理由に行きつきます。スポーツの世界でも、自分の采配がどうとか、戦術を語る人はあまりいません。とくに学生スポーツの優秀な指導者は、いかに人間を育てているのかという話ばかり。

つまり、学生スポーツとは、スポーツによって学生の成長を促すことが目的なのです。

たとえば、前・慶應義塾大学野球部監督で、現在は社会人野球のＥＮＥＯＳの大久保秀昭監督などがそうです。桐蔭学園高校から慶應義塾大学、そして社会人野球を経てプロでも活躍した大久保氏は、ＥＮＥＯＳや母校の慶應義塾大学を指揮して、多くの優勝を勝ち取りました。間違いなく、今の日本野球界で「名将」と数えられるひとりです。

では、その大久保監督は、強烈なリーダーシップで選手たちを指導しているのかというと、そんなことはありません。むしろ、個々の自主性や人間性をいかに育てるかということに主眼を置いています。とくに慶應の監督時代は、大学野球という本分から、「何が学生のためになるか」ということから考えたという話を僕にしてくれました。

そのような「徳治」が、東京六大学野球での二〇一七年秋季、一八年春季、一九年秋季での優勝という結果につながっているのです。

これは、二〇一七年の夏の甲子園で、埼玉県勢として初めて選手権大会優勝を果たした花咲徳栄《はなさきとくはる》高校の岩井隆監督にも当てはまります。

岩井監督も、高校野球というのはあくまで「社会人をつくる」という目的を達成する手段だという信念を持っています。右も左もわかっていない高校生を、社会で通用する大人に成長させていくために、野球を通じて、自分の頭で考えることを教えている。そんな話を伺ったことがあります。

この二人はともに僕の同級生で、かけがえのない友人であり、切磋琢磨しあうライバルでもあります。この二人以外にも、日体大野球部の古城隆利監督、東海大相模高校野球部の門馬敬治監督など、日本一の常連監督も同級生の友人兼ライバルです。僕だけが戦っているフィールドが違っていますが、このメンバーで集まれば、多岐にわたる話題の最後は必ずといっていいほど「人」の話になります。

練習の意図を理解できない生徒に寄り添うこと。
最後まで質問に答えること。
不満そうな顔を見逃さないこと。
どうしても集団行動が苦手な選手を受け入れること。

そんな指導を続けている彼らは「監督、これって何の意味があるんですか？」という選手からの質問には答え続けているといいます。むしろ「練習の意味が理解できなかったら必ず質問するように！」という指導をしているそうです。

その結果、成長を遂げた「キラキラ輝く学生」と出会うことができるのです。教え子の成長を目を細めて嬉しそうに語る姿は、スポーツの指導者というよりも教育者そのものです。野球の戦術自慢はしませんが、教え子の成長自慢は何の躊躇もありません。彼らの「目的」は、勝つことではなく、学生スポーツの指導者として「人」を育てることです。そんな強い目的意識が結果的に勝利を生み出すのだと実感します。

このように自分の「目的」や自分たちの組織の「目的」をしっかりと理解をしているリーダーは、組織の構成員に対しても、力でねじ伏せて従わせるようなことはなく、「徳」をもって「目的」を全員が共有することができます。そして、個々の人間の自主性によって、結果として強い組織をつくることができるのです。

そのために組織にとっての真の「目的」を探究すること。真の目的にたどりついた指導者が組織の成長をリードすることができる、そのことが伝わっていれば嬉しく思います。そこで、次章ではさらに視野を広げて、組織が集まっている我々の社会のなかで、「目的」がどのような役割を果たしていくのかを考えていきましょう。

# 第四章

## 「戦後復興フォーメーション」からの脱却
## 〜日本の目的論〜

## 戦後復興フォーメーションの副作用

ここまで「目的論」というものが、個人や組織を成長させて、そのポテンシャルを大きく引き出す側面があるということを、実際に僕が体験したことや、僕が身近なアスリートから聞いた話をもとにお話しさせていただきました。

この「目的論」がもたらす効能は、個人や組織が集まった国家、つまりはこの日本にも適用することができるのでしょうか。

僕は、できると思います。

むしろ「目的論」こそが国家の基礎を作るとも思っています。たとえばアメリカは「自由」「機会の平等」「幸福の追求」と国家の目的を明確に定義しています。一方で、より具体的な例をとってみても、日本政府の新型コロナ対策などでよく聞かれることとして、人流抑制が目的なのか、感染対策が目的なのか、という議論もまさにそれに当たります。

「この状況でオリンピックをやる目的を、政府は明確にしなくてはならない」と新型コロナウイルス感染症対策分科会の尾身茂会長もそうコメントをしています。そんな意味においては、当たり前ですが、その「この目的は何か、何の意味があるのか？」を考えることこそが本来の行政の仕事でしょう。

この本の主題でもありますが「目的論」を軸に思考を重ねれば、そもそも日本の国家としての目的はなんだろう？ と考える日本人は増えるでしょうし、そうなれば憲法改正の議論も深まるでしょうし、日米安保条約の目的は？ 衆議院と参議院の二院制の目的は？ 都道府県制度の目的は？ という具合に、いまある国家のかたちを時代や環境変化に対応して最適化を目指す思考に向かっていくものと思っています。

ではは日本を覆っている漠然とした閉塞感のようなものがいったい何であるか。その正体について、僕なりの考察をお話しさせていただきます。

まず今の体制が「戦後復興フォーメーション」のままである、というのが根本的な問題だと考えています。現在の国家体制の目的が「戦後復興」のままで止まっている、ということです。大きくは憲法と中央集権の二点に集約されると考えています。

太平洋戦争の敗戦で大きなダメージを負った日本が、焼け野原からの復興を目指していくため、中央政府に巨大な権限を集中させたということについては、異論を挟む方はいないでしょう。

政府が経済政策を決め、四七都道府県が一丸となって総力戦で戦後復興に取り組んでいく。そんな「戦後復興フォーメーション」によって、日本は「奇跡」とも呼ばれる経済成長を果たすことができたわけですが、一方で中央と地方の格差が広がってしまうという副作用も起きてしまいました。

あらゆる政策が、政府のある東京を中心に進められるので当然、人もおカネも産業も東京に集まってしまいます。結果、地方の力はどんどん弱まって、残酷なまでに格差が広がってしまうという問題が起きたのです。

このような「戦後復興フォーメーション」がもたらした中央集権のゆがみ、つまりは「東京と地方、大都市と地方の格差」というものが、日本の閉塞感の正体ではないか、と僕は考えているのです。

## アンフェアな甲子園

なぜそんなことが言えるのかというと、この「大都市と地方の格差」という現象がもっともわかりやすいかたちで、そしてもっとも残酷なかたちで表れているのが、僕が関わっている「スポーツ」という世界だからです。

このあたりをご理解していただくには、日本人が愛してやまない国民的なスポーツ大会である「甲子園の高校野球」がわかりやすいかもしれません。

ご存じのように、甲子園球場では「高校野球日本一」を決める大会が行われます。北海道から沖縄まで四七都道府県の高校野球部が地区予選に出場し、その頂点に立った代表校が甲子園のグラウンドに集って、トーナメントが開催されます。この夢の舞台を目指して努力と練習を重ねてきた高校球児たちが織りなす熱戦とドラマに多くの人が胸を打たれるのは、みなさんもご承知の通りです。

しかし、この甲子園の高校野球というスポーツ大会、運営の実態を見れば、とても「フェア」と言える大会運営ではありません。本来は、同じ条件をできるだけ揃えて競い合うはずのスポーツに、「大都市と地方の格差」がこれ以上ないほど露骨に反映されてしまうからです。

たとえば、鳥取県の人口は約五五万人。一方、神奈川県の人口は鳥取県の約一七倍の約九二四万人です。

さらにいえば鳥取県の高校生の数は約一・四万人、神奈川県の高校生は約二〇万人です。この巨大な格差を前提に対戦が組まれて「高校野球の日本一を決める」という目的が達成されるか、とても疑わしいです。

また、神奈川県や大阪府などの優勝常連校は、自分たちの学校が所在する都道府県以外から優秀な中学生を大量にリクルートします。つまり、鳥取県など人口の少ない地域で活躍する優秀な中学生選手は強豪校を持つ他県に流出する、ということも常態化しています。そんな状況で「都道府県の対抗戦」という意味がどこにあるのか……。そもそも都道府県の区分けの格差が巨大なうえ、そんな無秩序な運用をして教育的意義を謳えるのか、はなはだ疑問と言わざるを得ないと思います。

甲子園大会のいびつさは選挙における「一票の格差」と同じです。でも、この一票の格差という民主主義の根本問題は、日本においてはなぜかあまり議論になりません。

地方創生も同じです。旗は掲げても、地域格差は広がるばかりです。僕は、こうした甲子園大会などのスポーツが、都道府県制度の本質的課題を炙り出し、地域格差問題の議論が本格的に高まってくることを期待しています。

つまり、人口差が約一七倍もある県と県を同じ括りとして行政を行う必要があるか？という疑問です。鳥取県の人口は五五万人ですが、僕の生まれた東京都大田区の人口は七三万人です。鳥取県にはさらに四つの市があり、それぞれ市長や議会が存在します。

すなわち、甲子園大会における地域格差の議論が白熱することで、「そもそも都道府県の人口って、めっちゃ偏ってないか？」という本質論に近づくのでは、という期待が持てるのです。

実際にそれを思わせるようなこともありました。二〇一八年の夏に日本中を熱狂させた「金農旋風《かなのう》」です。

秋田県立金足《かなあし》農業高校が、毎年甲子園に出場するような強豪校を次々と倒して、ついには名門・大阪桐蔭高校との決勝に進んだという快進撃です。

この原動力となったのが、エース・吉田輝星《こうせい》投手の力投でした。全国から有望な選手が集ってくる私立の強豪と違い、金足農業は全校生徒五〇〇人程度の大きくないサイズの公立高校です。当然ながら選手層は生徒数に比例するので厚くはありません。吉田投手は秋田県大会から連投に次ぐ連投で、甲子園の準決勝まで一〇試合連続で完投勝利を挙げていたのです。

この吉田投手の魂の力投ともいうべき姿は、日本中に感動を与え、スポーツの素晴らしさを伝えることになったことは言うまでもありません。

## 高校野球の「目的」に立ち戻れば

しかし、その一方で、僕の中では、金足農業と大阪桐蔭の決勝というのは、先ほどから申し上げている、日本が直面している「都市部と地方の格差」を象徴する出来事のように思えてなりませんでした。

金足農業のある秋田県の人口は約九四万人。一方、決勝で戦った大阪桐蔭のある大阪府の人口は約八八〇〇万人。それに比例して高校野球の競技人口も多い中で、大阪桐蔭の選手層の厚さを支えているのは、府外からスカウトした生徒たちです。プロ野球選手を多数輩出している私立の名門ということで、日本全国から地域のトップレベルの球児たちが集まってくるからです。練習設備も充実しており、専門の指導者もついています。

甲子園ファンからすると、こんな圧倒的な格差をグラウンドでひっくり返すのが高校野球の醍醐味だということになるのでしょう。もちろん、そこがスポーツの大きな魅力のひとつであることは、僕自身も経験してきたことですので否定はしません。

ただ、そのような試合的な楽しみとは別に、「ゆがみ」があることも事実で、僕にはそれが残酷さを楽しむコロッセオ（古代ローマ時代の円形闘技場）のようにさえ感じてしまいました。それを象徴するのが投手への負担です。

金足農業快進撃の立役者である吉田投手は、大阪桐蔭との決勝では下半身の力が入らない状態となって、一二失点して五回でマウンドを降りました。ここまでの連投がたたって左股関節を痛めており、それをおして登板していたのですが、決勝でいよいよそれが限界になってしまったのです。吉田投手が大会で投げたのは八八一球。予選の秋田県大会五試合の六三六球を足すと、この短い期間に灼熱地獄のような夏の大会で一五一七球をたった一人で投げ抜いたのです。

一方、大阪桐蔭はというと、先ほども申し上げたように選手層がプロ野球チームのように厚いので、予選からたった一人のエースが投げ切ることなどありません。先発、リリーフの投手たちは十分な休養を取って、その時にベストなパフォーマンスを出せる投手が登板していくという継投策が採られています。

言うまでもありませんが、高校野球はプロ野球のように、ファンに対して鍛え上げたアスリートたちが高いパフォーマンスを見せて楽しませることを目的としたものではありません。高校生が野球を通じて社会人として、人として必要なことを学んでいくという教育的な役割を謳っています（甲子園大会の別の大きな目的は、主催者である新聞社の販促活動でもあるのですが、詳細は拙著『スポーツ立国論』をご参照ください）。そのように「目的論」によって高校野球の本質に立ち戻ったときに、果たしてこの「都市部と地方のゆがみ」を放置したままでいいのでしょうか。

もちろん、先ほどの公立と私立の環境差、投手への負担に格差が生じているなどの問題については、甲子園大会を主催する日本高等学校野球連盟や朝日新聞社、毎日新聞社でも改善すべきだという声があり、改革の必要性が唱えられています。実際、二〇二一年の春の選抜大会からは「一週間で五〇〇球以内」の球数制限が実施されるようになりました。

しかし、これまでお話をしてきたように、甲子園出場校同士の格差の根底にあるのは、戦後復興フォーメーションを七〇年以上も続けてきたことによって生じている「都市部と地方のゆがみ」だと思っています。この構造的な問題に手をつけないことには、どんなに甲子園改革を進めても「対症療法」で終わってしまうのではないかと心配しています。

## 日本社会のいびつな格差

このような問題が起きているのは、甲子園に限ったことではありません。少子化と地方の衰退というダブルパンチで、あらゆるスポーツで地方の競技人口がかつてよりも減少傾向にあります。人数が足りなくなって存続の危機にあるような少年野球など、練習も難しいチームも全国には数多くあると報道されています。しかしその一方で、都市部のスポーツチームには多くの子どもたちが集い、レベルの高い指導者のもとで厳しい競争が行われています。都市部と地方のスポーツの格差は年を追うごとに広がっているという指摘も多くあります。

こうした状況は地方の経済や雇用の疲弊ぶりとそっくりに感じてしまいます。とくに地方都市では、若者の流出が問題になっています。高校を卒業したら東京や大阪などの大都市圏の大学へ進学するために、地元を離れてしまう。そして、卒業後も希望職種や賃金などの労働条件から、故郷に戻ることなくそのまま大都市に残って生活をしてしまいます。

その中には、そのまま結婚して家庭を持つ方もたくさんいるはずなので、当然都市部はどんどん人が増えて、地方は人が減っていきます。人が減れば経済も活性化しません。産業も成長しませんので雇用も拡大しません。このような悪循環が地方で起きていて、これが日本経済がいつまでたっても元気がない原因だというのは、多くの経済評論家などの有識者が指摘していることです。

そのような意味では、スポーツは今、日本の地方が直面している苦境をだれの目にもわかるようなかたちで浮かび上がらせている、「日本社会の縮図」と言えると思っています。

## 地方に人材や産業があった時代

では、こうしてスポーツでも明確になっている「都市部と地方のゆがみ」を、僕たちはどう解決していけばいいのでしょうか。

病気の治療でいうのなら、先ほどの甲子園改革と同じで、対症療法ではいつまでも状況は改善しません。ということは、病気の原因をしっかりと見極めて、根本的に治療をするという「根治療法」が必要なのは明確です。そこでまずは、なぜ日本にここまで「都市部と地方のゆがみ」が生じてしまったのかを考えていきましょう。

歴史の専門家に言わせると、地方と大都市の格差、東京一極集中というのは近代からはじまったそうです。

徳川家康が幕府を開いて江戸時代となり、江戸を中心とした中央集権体制が敷かれました。しかし、江戸時代は参勤交代などで中央集権を進める一方で、地方も力を蓄えることができた時代でもありました。

たしかに、幕府は江戸にあって強力な権限を持ちましたが、地方の自治は各藩の責任のもとで行われていたのです。独立した国々を徳川が束ねるという、いわば「合衆国」のような国家だったと考えていいかもしれません。

しかし、これが明治維新によって大きく変わっていきます。西洋列強に追いつくため、「富国強兵」を掲げた日本政府は、日本中から優秀な人材を首都・東京に集めました。そのあたりは、明治政府の中心的役割を果たした伊藤博文や大久保利通、西郷隆盛、木戸孝允《たかよし》ら、ほとんどが薩摩藩や長州藩などの地方出身者だということが雄弁に物語っています。

このような東京集中を進める一方で、政府は廃藩置県によって、旧藩から地方自治の権限を奪い、中央から派遣された官吏が、中央の政策に基づいた地方政策を進めていきました。

つまり、このタイミングで日本は「合衆国」からひとつの「中央集権国家」に変わっていくのです。ここから東京は首都として政治、経済、文化の中心となり、他を寄せ付けない圧倒的な強者となっていくのです。

ただ、そのような東京一極集中は進行していきましたが、現在のようにここまで大きな格差は存在しませんでした。それぞれの地域には、国を支える基幹産業の拠点としてヒト、モノ、カネがそれなりに集まっていました。たとえば、岩手県釜石市の製鉄業、福岡県の筑豊地方の炭鉱業、広島県呉市の造船業などが有名です。

また、地域のエリートもすべてが東京に流れるわけではありませんでした。各地域には江戸時代の「藩校」の流れを汲む旧制中学があり、そこが地域に貢献するリーダーたちを輩出する教育機関として機能していたからです。

このような旧制中学はいまも名門校として知られており、岡山藩の藩校「仮学館」の流れを汲む岡山県立岡山朝日高校、伊予松山藩の「明教館」をルーツに持つ愛媛県立松山東高校、会津藩の「日新館」の流れを汲む福島県立会津高校、佐賀藩の「弘道館」の流れを汲む佐賀県立佐賀西高校など、例を挙げたらきりがありません。

また、帝国大学も東京だけではなく、京都帝国大学（現在の京都大学）、東北帝国大学（現在の東北大学）、九州帝国大学（現在の九州大学）、北海道帝国大学（現在の北海道大学）などが設置されたことによって、地域のエリートのなかにも、自分の故郷でその能力を発揮するという生き方を選ぶ者がまだたくさんいたのです。

だからこそ、第一次世界大戦や太平洋戦争のときには、東北や九州など地域ごとに部隊がつくられました。同じ地域で生きてきた者だけが持つ連帯感や、郷土愛がまだたしかに存在していたのです。

## 地方を衰退させた「復興フォーメーション」と「神様との距離」

では、いったいいつからそのような「地方の自主独立」が損なわれてしまったのでしょうか。

これについては専門家の方などがいろいろな分析をされているでしょうが、僕としてはやはり「敗戦」が大きかったのではないかと考えています。

そう考える理由は二つあります。まず、戦争に敗れて、焼け野原からの復興を目指すときに、日本という国が持っているリソースを東京に一極集中させるというのは、リーダーとしては非常に理にかなった判断だと思うからです。

もう一つは、「神様との距離」が遠のいてしまったことだと考えています。

戦争によって多くの家庭が大黒柱を失ってしまいました。戦争孤児もたくさんいました。そのような厳しい状況の中で、なんとか経済を復興させていこうと考えたときに、限られたヒト、モノ、カネをとにかく東京にかき集めて、まずは首都・東京から復興させていこうという結論になるのは当然ではないでしょうか。

公共事業や大規模な開発が増えていけば、そこで働いて一家を養える人もできます。そのような人たちが暮らすのに住宅も必要になりますし、飲食店や娯楽も必要になってきます。

そういう経済の循環を東京で生み出して、それを徐々に全国に広げていこうと、当時のリーダーたちは考えたのではないかと僕は思います。

戦後の東京一極集中というのは、とにかくなりふり構わず日本経済を立て直すために緊急的措置によってもたらされたものであり、この時代にしてみれば、致し方がない部分もあったと思います。

ただ問題は、そんな「戦後復興フォーメーション」が、焼け野原から徐々に日本が復興して経済成長をしていく中でも方針転換されることなく、そのまま令和の現在まで継続されてしまっているということです。

また、すでに述べたように、戦前の日本人は、当たり前のように神様とともに生きていました。それは天皇陛下を神として崇《あが》めていたということよりも、自分が生まれた地域の神様を信仰することが自然に身についていたということです。生まれたらまずは地元の氏神様《うじがみ》に報告をして、成長をするにつれてお参りを欠かさない。結婚をするときも、戦争に行くときも、そして亡くなるときまでも、地域の神様とともに生きていきました。

キリスト教を信仰する人々が食事の前に祈りを捧げ、何かあれば神父に懺悔《ざんげ》をして、休日になると教会にいくのと同じように、日本人の生活にも常に「神様」が寄り添っていたのです。

しかし、敗戦後はＧＨＱ（連合国軍総司令部）の占領政策もあって、日本人の伝統的な宗教観は大きく変わっていくことになりました。学校で『古事記』などの神話を教えることもなくなりましたし、神社への参拝などは本来持つ意味ではなく、「ご利益」を求めるようなイベントや、儀礼的なものへと変わっていった部分があることは否めないのではないでしょうか。

つまり、神様というのはあくまで個々の心の中で信じるものへと変化したので、かつての日本人にとってのように近い存在ではなく、距離ができてしまったと僕は考えています。こうなると当然、地域コミュニティとのつながりも希薄になっていきます。人と地域を結びつけてきた神様との距離が遠くなるわけですから、地域への帰属意識や愛着も薄れていってしまったのではないでしょうか。

## エリート層の東京信仰

それと入れ替わるように出てきたのが、「東京」への新たな信仰だったのではないでしょうか。つまり、東京に行けば仕事が手に入る、東京に行けば豊かな生活を送ることができるという「東京信仰」ともいうべき、都会で文化的で便利な暮らしを送ることが、人として目指すべき幸せだというような価値観が、神様との距離が遠くなった日本人の間に急速に広がっていったのだと思います。

突拍子もない考え方だと思われるかもしれませんが、全国の若者たちのなかに、東京の一流大学に入って、そのまま東京の一流企業に入社することこそが幸せにつながる道だと信じる人たちや、東京を基準としたライフスタイルに憧れを抱く人たちがそれなりにいるという事実が、日本に「東京信仰」という価値観があるのではと思っています。

僕が「東京信仰」というものがあるのではないかと考えるようになったのには、じつはきっかけがあります。

一九九二年、法政大学を卒業した僕は三菱商事に入社しましたが、そのときの入社式で、いまも忘れられない「東京信仰」を目の当たりにしました。新入社員の代表として挨拶をした同期が、「今日は地方からも多くの同期が集まっています」というようなことを述べたところ、「大阪は地方やないで！」というヤジが飛びました。もちろん、笑いに貪欲な大阪人らしいツッコミなのですが、そこでやめておけばいいのに同期の代表が、「いや、東京以外は地方なので」なんて軽口を叩いたのです。若干、会場がシラけたというか、ざわついたことは言うまでもありません。

第二章でも触れたように、「田舎者」という地方出身者を卑下するような言葉が当たり前のように使われているのも、敗戦により東京一極化が進み、それが地域に根ざしていた神様の存在を超えた「東京信仰」になってしまったこと、そんな悪循環が進行しているという事実を示していると思っています。

## 地域活性化の処方箋とは

さて、もし「都市部と地方のゆがみ」という問題の根底に、敗戦による「戦後復興フォーメーション」と、それを継続させた「東京信仰」があると仮定した場合、僕たちは何をすればこの現状を変えることができるでしょうか。

目的を日本の活性化とした場合、今の国家統治という方法論に基づく「都道府県制度」の改革、つまり日本地図自体の「ガラガラポン」が必要だと思っています。詳細は割愛しますが、僕の勝手な持論でいえば、かつての「藩」を復活させて、独立自治を目指すことだと思っています。日本全国に出張や旅に出るたびに、地域ごとのカルチャーや、その地域に暮らす人々の「好き嫌い」には、本当に色濃く旧藩時代の影響が残っていることを実感します。むしろ、県というくくりによって、かつては親の仇だった隣の藩と一緒にさせられたことで、自分の地元である県に愛着が持てないというケースも多々存在していると思います。

そんな意味では、「藩制度の導入」はムーンショットのようなものすごいチャレンジであり、議論の余地だらけとは思いますが、やはりその歴史的背景からくる改善点を具体化するべきではないでしょうか。

地域活性化におけるもっとも重要な要素は、取りも直さず「地域に誇りを持つ」ことだと思っています。そのために個人個人が、その土地土地に古《いにしえ》より存在した「神様」をより活用することによって、自分が生かされていることを感じたり、物質的なものよりも大事なものに気づくことが大切だと思っています。

そのために役に立つものがスポーツであり、学校であり、学校スポーツであると考えています。

このアプローチが本当に効果あるかというと、正直、現時点ではわかりません。しかし、このような「目的論」に基づいて、僕たちはチャレンジをはじめました。

## いわきを東北一の都市へ

そのチャレンジとは、二〇一五年から僕たちドームが進めている、福島県いわき市での取り組みです。

前にもお話をしましたが、ドームでは、「スポーツを通じて社会を豊かにする」という理念を掲げてさまざまな活動をしています。もちろん、企業ですので利潤を追求して自らをサステイナブルなものにしていくのが第一ですが、二〇一一年の東日本大震災で大きなダメージを受けた東北に対しても、スポーツの力でどうにか元気にしたいという気持ちがかねてからありました。

そこで、いわき市内にドームの物流センター「ドームいわきベース」を建設して地元に雇用を生み出すとともに、その横の広大な土地を生かして、サッカークラブ「いわきFC」を立ち上げました。

このクラブチームを運営する株式会社いわきスポーツクラブには、Jリーグの湘南ベルマーレで代表取締役社長を務めていた大倉智氏に就任してもらいました。大倉社長は、スポーツで社会を豊かにするという僕たちの考えに共感してくれたのです。

これはただサッカーで地域を盛り上げようという取り組みではありません。スポーツを「産業」として成立させることで、地域の経済、雇用、さらにはコミュニティづくりまであらゆることを活性化して、ゆくゆくはこのいわき市を「東北一の都市」にまで押し上げていくことを目的としたプロジェクトなのです。そして、真の目的はこのいわきFCの取り組み、すなわちスポーツによる地域再生が全国に広がっていき、日本全体を活性化することです。

具体的には、「ドームいわきベース」に隣接する「いわきFCパーク」はいわきFCのクラブハウスとしての機能だけでなく、アンダーアーマーの直営アウトレットや英会話教室などがテナントとして入る日本初の「商業施設併設型クラブハウス」になっています。

この三階には飲食店も入っており、テラス席からはグラウンドで行われる練習や試合を見ることができます。

今はいわきFCが日本フットボールリーグ（JFL）に昇格したため、ここでいわきFCが公式戦をすることは稀ですが、以前は試合がある週末ごとにテラス席は満席となったもので、年間で約三五万人もの人々が足を運んでくれています。また、施設内にはクラブが開設した整形外科診療所と柔整鍼灸院もありますし、子ども向けのスポーツ教室なども行っていますので、地域のスポーツ振興やアスリートのサポートにも貢献しています。

## 地域の誇りとなる「大学設立」

もちろん、このいわき市でのチャレンジがどのような結果になるのかはまだわかりません。ただ、これに踏み切ったことで、わかったこともたくさんあります。

まず、何よりも痛感したのは、地方の行政というのは、基本的に矢印がすべて中央へ向いているということです。ダムを造るにも、空港を造るにも、すべての政策は東京で決められてしまいます。何か事業をやろうとしても、財源がないので結局、国からの補助金に頼らざるを得ません。

それは、裏を返せば、地方が自分たちで決められることは本当に限られているということになります。Ｇｏ Ｔｏキャンペーンや新型コロナ対策などを見ても、それは明らかでしょう。

もちろん、地方にはこのような厳しい現実があることを知らなかったわけではありません。ジャーナリズムでもそのような問題を指摘されていますし、僕自身も地方自治に関わる知人から耳にすることがありました。実際、永田町の議員会館へ行けば、日本全国から陳情にやってくる人の姿をたくさん見ることができますので、日本がいまだに明治時代のような中央集権型国家だということを頭ではよく理解していました。しかし、やはりそれを実際に自分で身をもって味わうのは、まったく違います。

こんな感じで地方の厳しい現実を目の当たりにすることは、良い面もあります。課題がくっきりと浮かび上がるので、何が足りていないのか、何をすべきなのかもよりくっきりと浮かび上がるのです。

一つは、「大学設立」です。

いわき市の現実を実際にこの目で見て、肌で感じてみると、地域活性化には「大学」が必要だと強く感じるようになりました。

いわき市の人口は三三万四五五二人（令和三年六月一日時点）で同じ福島県の郡山市もほぼ同じくらいですが、一〇〇万都市の仙台に次ぐ、東北第二の都市です。しかし、年々人口が減少していいます。一九歳になった若者が毎年五〇〇〇人規模で流出しているからです。

この一九歳という年齢でもうおわかりでしょう。小中高と地元の学校で成長した若者たち、さらに言えば優秀な若者たちが東京や仙台の大学に通うために、市外へ出て行ってしまうのです。

いわき市を元気にする、地域のコミュニティを持続可能なものへと成長させていく、という「目的」を考えれば、この若者の流出を食い止めなくてはいけないのは明らかです。彼らが地元から出るのは、東京など大都市にある有名大学に通うことが目的ですから、そのような大学が地域にあれば、いわき市から出ていく必要はありません。

もちろん、これはいわき市だけの問題ではありません。若者の流出が、全国的に地域の過疎化の要因のひとつになっていることは間違いありません。ただ、彼らを地域に縛りつけておくには、地域に留まるだけの魅力がなくてはいけません。

その具体策が「大学」なのです。

高校を卒業した若者たちが、東京や大都市に行かずとも、ひけを取らない高度な教育を受けることができる大学が地域内にあれば、流出を防げるだけではなく、新たな若者が集まってくるかもしれません。

そのような意味では、地方への大学誘致は、地方を元気にするという目的論に基づいた政策なのです。

## 精神論や建前ではない「スポーツ力」

さて、いわきFCは「九〇分間止まらない、倒れない」という「魂の息吹くフットボール」をモットーに、福島県二部リーグからスタートして同一部、東北二部、同一部、そしてJFLと毎年階段を上がるように昇格を続けてきました。二〇二〇年はJリーグ（J3）昇格まであと一歩に迫りながら、最終節で敗れて涙をのみましたが、「いわき市を東北一の都市にする」という目的を達成するためのひとつの手段であるJリーグ昇格を、次こそは成し遂げてくれると思います。

また、JFL昇格を機に、ホームタウンもいわき市に加えて双葉郡の六町二村に拡大し、「復興から成長へ」と歩んでいこうとする「浜通り」全体を盛り上げようとしています。これら自治体との連携が深まっているだけでなく、いわきFCの理念に共感し、パートナーになってくださる企業や団体も年を追うごとに増え、ファンの輪も徐々に広がってきています。

いわきでの取り組みはまだ始まったばかりですので、僕たちが進めていることが「正解」かどうかは正直まだわかりません。打倒東大を目指す「いわき市立大学」も今はありません。

ただ、具体的に課題が見えたり、手応えを感じたりしています。いわきFCを中心に新たなコミュニティも生まれており、いわきへ足を運ぶたびに新しい発見や気づきがあって、この方向に大きな可能性があることを確信しています。

スポーツを地域産業化することができれば、地域の経済を復興から成長へと軌道に乗せることができますので、人々が東京などの大都市ではなく、地域で生きていくことを選択してくれるようになるはずです。

また、第一章で紹介したラグビーを通じて地域のコミュニティが出来上がっているウェールズのように、スポーツには、地域コミュニティへの帰属意識を芽生えさせる力があります。地元のチームを応援することで得られる一体感、地元のチームに関わる人たちとの仲間意識、それが郷土愛にもつながっていくのです。

先ほど申し上げたように、戦後の日本人は「神様」との距離が遠くなったことで、地域との精神的なつながりが希薄になってしまった部分があります。

もちろん、それは戦後教育や民間信仰に関わることなので、一朝一夕で解決できる話ではありませんが、このような問題に対しても、地域への帰属意識を芽生えさせるスポーツというものが少しでも貢献できる可能性があるのです。

「社会を豊かにする」という目的のために、僕たちに何ができるのかについて考えていく「目的論」に基づけば、多くの人々を感動させて、その人生を変えてしまうほどの力を持つスポーツの力を活用しない手はありません。ただの「娯楽」や「競技」ではなく、スポーツが持つさまざまな効果で、社会を豊かにしていくのです。

スポーツで日本を元気にする、と言うと、ただの精神論や建前的なスローガンのように思われることもありますが、ウェールズの例に見る限り、それは大きな誤解と言えるでしょう。欧米では、ウェールズのような、地域の誇りとなるチームや大学や大学スポーツが実際に地域を支えています。

地方を元気にするため、何をすべきなのか、何ができるのか――。そんな「目的論」を徹底的に突き詰めていくと、スポーツで社会を豊かにするというのは、じつはきわめて現実的な答えなのです。

第五章

# 「成功」よりも「幸せ」を選ぶ生き方
## ～人生の目的論～

## 僕が「経営戦略」を語らない理由

ここまで「個人」「組織」そして「社会」など世の中のあらゆることが、じつは「目的論」に基づいて進めていくことでより良い結果につながっていく、ということを、僕自身の体験や交流のあるトップアスリートたちから実際に聞いた体験、そして彼らがメディアなどで公にしている情報をもとにしてお話ししてきました。

何を目指しているのかという「目的」をクリアに設定すること、目的をあたかも「御本尊様」のように崇めることで、個々の決断の軸となり、迷走や混乱を極小化できることは言うまでもありません。もし、あなたが組織や家族のリーダーであればなおさら、なぜこの組織は存在しているのか、その目的を明確にすることで、自ずと日々の生活が変わっていくはずですし、チームメンバーもその方向に向けて自走をすることが可能となります。

そのようにブレない「芯」をつくること、目的を最上位の価値に置くことで、あっちに行ったりこっちに行ったり、という迷走がなくなるだけでなく、フラットで柔軟な思考力が身につくはずです。そしてそれは「**自分は何者か**」「**自分たちは何のために存在するのか**」「**この社会とはそもそもだれのためにあるのか**」というような作業の繰り返しで人生に深みが増し、素晴らしいリーダーとなり得るでしょう。

たとえば、あなたが名門高校野球部の監督だとします。「勝つ」ことを目的地に設定し、それを最上位の価値として崇めたらどんな指導を行い、どんな決断を日々行うでしょうか？

そこでも引き続き「なぜ勝たなくてはならないのか？」——ここに、思考を持って行ければ、本当の目的地により近づくことができるのではないでしょうか。

目的思考をより深めることで「勝つことを通じて、自分と生徒たちを成長させること」、そんな目的地を設定することができるかもしれません。

そう考えると「勝つ」ことは手段であって、本来「目的」にはなり得ないことに気づくはずです。「勝つ」という手段の背景にはいろいろな目的が潜在しているので、本当に勝ちたい理由を考え抜くことが肝要です。

このように、「目的の力」をうまく活用すれば、個人としても、組織としても、そして社会としてもさらなる「成長」をしていくことができるのです。

余談ですが、こういったことが、僕がこれまでメディアや講演などで、マーケティングとは？　などという経営戦略などをお伝えしていない理由です。

事実、いろいろなところからドームを成長させた秘訣や、自身の経営戦略や経営哲学について語ってほしいというご依頼をいただくことがあります。マスコミなどのインタビューでも記者さんからは必ずと言っていいほど同じような質問をいただきます。

しかし、僕はそのたびに丁重にお断りをするか、話題をそらすようにしてきました。

企業秘密で教えたくないとか、意地悪でそのようにしているわけではなく、それがみなさんにとって価値のある情報になるとは思えないからです。

まさに「それって意味ありますか？」ということです。

ドームの経営戦略は、この業界で、僕たちの会社だからこそ成立しているようなところがあるものですから、それをまったく関係のない外部の方に語ったところで、それを活用することはなかなかできないでしょう。活用できない戦略をお話ししても、「へえ」となるだけで、何の意味もないと感じてしまうのです。

そもそも組織を成長させているのはあくまで「目的論」だと考えています。ですから、「目的の力」をわかっていただけるように、ドームの目的やビジョンはいくらでもお話をしますが、細かな事業戦略という「方法論」を語ることには抵抗があるのです。

さて、このようなかたちで「目的論」というものをみなさんと一緒にとことん考えてきたわけですが、このあたりでみなさんはあることに気づくのではないでしょうか。

個人の目的、組織の目的、そして社会の目的をとことん追求していくと、最終的にはあるひとつの「目的論」へと集約されていきます。そのような意味では、「究極の目的論」と言ってもいいかもしれません。

それは何かというと、**「人は何のために生きているのか」**ということです。

## 「幸せ」を価値基準にすることの大切さ

結局は哲学的な話になっていくのですが、個人であっても組織であっても、そして日本社会においても、結局はすべて「人間」がベースになっていることは間違いありません。そんな人間の「目的」は何かと言ったら、ここにたどりつくというのは、さまざまな神話、哲学、思想など人類の歴史が証明しています。

もちろん、そんな堅苦しい話をしなくても、実際に自分自身と深く向き合ってみれば、これが「究極の目的」だということがよくわかるはずです。

たとえば、本書を手に取ってくださった方の多くは社会人でしょうから、「自分は何のために働いているのか」という目的を折に触れ、好き嫌いにかかわらず、自然と考えさせられると思います。本来なら、こうした目的を決めてから方法論である労働を考えるべきにもかかわらず、逆の思考になっている人が大半ではないでしょうか。家族を養うため、生活のため、自分の生きがいのため、などさまざまな答えが出てくることでしょう。では、そこでさらにその目的の根源には何があるのか自問してみてください。

何のために家族を養うのでしょうか。何のために生活するのでしょうか。何のために生きがいを持つのでしょうか。

このような自問を何度か続けていくと、「何のために生きているのか」という目的に必ずたどりつくはずです。そうならないという人は、残念ながらまだ「目的」に徹底的に向き合っていないのではないでしょうか。

では、僕たちはいったい何のために生きているのでしょうか。

ほとんどの人は「幸せになる」という目的のために生きているのではないかと、僕は考えています。もちろん、「幸せ」の定義は人によって違うでしょう。自分にとってはこれが幸せ、私にとってはこれが幸せ、という十人十色の幸せをみなが追い求めているのが、この社会です。

この「幸せ」を価値基準とした生き方をしていると、世界はガラリと変わります。「成功した人」というのが途端に薄っぺらなものに感じられます。

僕自身も経営者として、ビジネスの世界にいるのでさまざまな方にお会いしますし、お話をする機会があります。そのなかでいまだに慣れないというか、違和感しかない言葉があります。それが「成功」です。

## 「成功って何ですか?」

よく会合などの場で、「この人はこの分野で成功した人です」などと人を紹介していただくことがありますが、正直、何が成功なんだろう? と、僕にはあまりピンときません。先ほどお話をしたマスコミからのインタビューなどでも、「安田さんの成功の秘訣を教えてください」とか「若くして成功した先輩として、これから成功を目指す若者にメッセージを」というようなことを言われることがありますが、そのたびに、「成功って何ですか?」と逆に質問をしてしまいます。

いいえ、意地悪で言っているわけではなく、その人が何をもってして「成功」と呼んでいるのかがわからないからです。おカネをたくさん稼ぐことを成功とするのなら、リスキーな投機で最大瞬間風速的におカネを稼いでいる人などこの世にはたくさんいます。

では、彼らは「成功者」なのでしょうか。

会社を経営していれば成功なのかというと、そんなことはありません。会社というのは当然、調子が良い時期もあれば、悪い時期もあります。会社を潰してしまった方もたくさんいますが、ではそこで彼らの人生がすべて「失敗」なのかというと、当然そんなこともありません。

その反面、会社を経営していなくても、資産をたくさん持っていなくても、自分の理想とするような生活をして、豊かな人生を送っている人もたくさんいます。彼らはきっと自分の人生を「失敗」などとは思っていないでしょう。

みんながみんな各自で自分の人生の「幸せ」を追い求めている過程で、たまたまうまくいったり、うまくいかなかったりということがあるだけなので、それを「成功」や「失敗」と単純に言ってしまうことはできません。

つまり、僕たちが生きているこの世界において、「成功」の定義なんてあってないようなものなのです。

## 安易に使われる「〜道」

ちなみに、僕の人生の最終的な目的は、「笑って死ぬ」ということです。

力を出しきって、やるべきことをやった、楽しいこともたくさんあった。そういう人生を振り返って、笑顔で人生の幕をおろす。僕にとって、これはこの人生最大のクライマックスであって、これ以上の「幸せ」はありません。

この「目的」から逆算をして今は何をすべきか、ということを考える訓練を、僕はしています。「目的論」というのはとどのつまり、会社のプロジェクトを達成させるとか、自分自身が人として成長していくとかいうことでさえも「副産物」に過ぎないということです。

もっと言ってしまうと、あらゆる目的論というのは、「自分自身が人間としてどう生きていくのか」という「究極の目的論」に到達していくうえでのプロセスのひとつに過ぎないのです。

さて、話は少し変わりますが、日本人を日本人たらしめている精神のひとつに「武士道」という精神文化があります。天下泰平の江戸時代を迎えて、戦うことを本来の職業とした武士たちの活躍の場がなくなっていきました。その過程において、武士たちは剣や肉体とともに精神を磨き、武士道という生きざまの定義づけが行われていったのがその背景になります。

武士道について記された『葉隠《はがくれ》』の一節に、「武士道というは死ぬことと見つけたり」という有名な言葉があるように、「死」を常に意識して、今の「生」をまっとうするという武士道の精神は、これまでお話をしてきた「究極の目的論」と重なります。

つまり、「目的論」は僕の持論でもなんでもなく、日本人のアイデンティティのひとつである「武士道」を礎《いしずえ》にするものです。すなわち僕の体験においても、幼少期の母親の指導も、親父の生き方も、学校の先生の教えも、よくよく考えるとこの武士道精神が基礎になっていたことが多々あることに気づかされます。

ただ、一方で近年の日本では、このような本質的なところまで語られることなく、安易に「道」という言葉を用いることで、武士道が目指すところの精神性とはまるで逆行するような、根拠のない厳しい鍛錬や支配的な立場に結びつける風潮があることに些かの危惧を覚えています。

「道」という言葉を用いるのであれば、まずクリアにその定義をするべき、ということ。国語辞典によると、「道」は「芸術・技芸などのそれぞれの分野。また、その精神神髄」という意味のことが記されており、大きくは芸道と武道があります。

芸道の代表格は安土桃山時代に千利休が「わび茶」をきわめた茶道で、武道には柔道や剣道、合気道などが含まれます。反対に言えば、それ以外の「道」は広く定義されたものではありません。

## 日本人と「道」の危うい関係

究極の目的論である「武士道」精神を、アスリートに安易に重ねることに些かの危惧を覚えているとはどういうことか。たとえば「侍ジャパン」「サムライブルー」という感じで、アスリートと武士を結びつけられることが多くなってきました。また、さまざまな競技で

「野球道」や「相撲道」など「道」を唱える選手や指導者もいます。

たしかに、日本人の物事に真摯に取り組む姿勢や、礼節をもって心身を鍛錬するスタンスは、日本のスポーツ文化に受け継がれているのは明らかです。日本のスポーツの源流に、「武士道」があるということにはまったく異論はありません。

そもそも「武士道」という言葉を定義し、世に広めたのは新渡戸稲造《にとべいなぞう》で、戦で殺し合いをしていた時代には「武士道」などという概念はありませんでした。江戸時代になって侍が「ウォーリアー（戦士）」でなくなったことで、剣術も戦場で相手の命を奪う実戦的な殺人術から、武芸を通じてキャリアをつくる、つまり人格形成の一助とするというスキルへと変貌を遂げていきます。その過程で、精神に主眼を置いた「武士道」という概念が生まれ、「葉隠」で一定の定義づけがなされました。

そのような意味では、現代スポーツにおけるメンタルトレーニングと近い部分もあり、日本人がスポーツをするうえでこの「武士道」という概念が出てくるのは、きわめて自然の流れだと考えています。

ただ、それだけにこの「道」という言葉の威力は強く、人を支配するうえで悪用されてしまっている場面を僕は何度も見てきました。これを引っ張り出すと、教えを乞う側を、どんな不条理なことでも受け入れなくてはいけないという同調圧力に屈させることができるからです。

たとえば、強豪で知られる高校野球の有名校で、名将と呼ばれる監督が、選手たちにスポーツ科学とかけ離れた「しごき」のような練習をさせていたとしましょう。あまりに前近代的で根性論のような練習内容に、選手から疑問の声が上がりますが、この監督はこう言ってのけます。

「これが**野球道**というものだ」

こう言われたら選手は反論できません。つまり、スポーツ指導者が唱える「道」には、そのやり方についてまったく異論を挟ませないというムードをつくって、「強くなりたければ黙って従えばいいのだ」と言わんばかりに、選手や子どもたちを屈服させることに利用されてしまうおそれがあるのです。

**方法論にとらわれやすい「道」**

もちろん、スポーツにおいてメンタルが非常に重要なことは言うまでもありません。また、スポーツ指導では、師匠と弟子という徒弟制度的な信頼関係が大切になってくるというのは常識です。そのような意味では、「道」という考え方は、スポーツと非常に親和性が高い部分もあるのですが、一方で「何のためにそれをやるのか」という目的論ではなく、方法論にとらわれてしまうという「罠」もあるのです。

たとえば、みなさんは「茶道」と聞くと、まずは正座をして、お碗を回して茶を飲み、器を褒めて、お菓子をいただくというような一連の作法をしっかりやることが大切だと思うのではないでしょうか。しかし、本来これは「茶道」ではありません。

千利休が「茶の道」を説いたときから、茶道とは「人をもてなす際に現れる心の美しさ」を表現することにあり、この「もてなし」の精神性や作法、茶室や庭などの「しつらえ」も含まれた総合芸術だと言われています。お碗を回す、器を褒める、などの「方法論」はすべて「客人に心を込めておもてなしをする」という目的のためにあるのです。しかし、先ほども述べたように、ほとんどの日本人は「茶道」というものの目的と方法をごちゃ混ぜにして考えてしまっているのです。

スポーツにおける「道」にも同じことが言えます。

「野球道」や「相撲道」を掲げて、心身を厳しく鍛錬する。指導的立場にいる人が、自らの経験や外部の知見に基づいて独自の指導法を構築していくこと自体は素晴らしいことだと思いますが、一般に定義されていない「道」を振りかざして、選手や教え子を抑え込むことはあってはならないと、僕は考えます。

「道」を使うのであればまず「定義」すること。辻褄《つじつま》の合わない「道」、都合よく変貌する「道」は、個人の道でしかありません。たとえば柔道は、明治時代に嘉納治五郎がそれまでの柔術を独自に理論化し、「精力善用」「自他共栄」を理念とした「講道館柔道」を始めました。剣道は全日本剣道連盟が「日本の武士が剣（日本刀）を使った戦いを通じ、剣の理法を自得するために歩む道」と定義しています。武道は、明治から大正にかけての政治家・西久保弘道が、戦闘的要素が強かった武術から、心身鍛錬や教育的効用を重んじて名称を変更したものです。

## 相撲とは「神事」なのか「競技」なのか

翻って、相撲や野球はというと、それぞれの競技でプロ、アマそれぞれを束ねる団体はあっても、「相撲道」や「野球道」が明確に定義されているわけではありません。

少し前に日本相撲協会と元貴乃花が激しく対立をしました。その際に双方とも「相撲道」ということを盛んに言っていました。僕が気になったのは、「相撲道って何？」ということです。日本相撲協会の定款には、協会の目的として、「我が国固有の国技である相撲道の伝統と秩序を維持し継承発展させる」とありますが、相撲道とは何か？　という定義はされていません。

相撲協会は公益財団法人ですので、社会の利益を考えることも大きな目的です。ならば、相撲道を維持することで、世の中にはどんな利益があるのかという議論が必要だったはずです。社会のためということを追求していけば、極端な話、「真剣勝負」「厳しい上下関係」「部屋制度」のようなことが必要なのかという議論にもなります。また、その逆で「相撲道」を維持するためには必要だというのなら、そもそも「相撲道」とは何を目指すのかという話になります。

つまり、さまざまな問題が噴出したなかで、本来ならば相撲とは神事なのか、競技なのかという大前提まで議論すべきところを、それぞれが「相撲道」という言葉で煙に巻いてしまっているため、議論が表面的なところで終わってしまいました。

元貴乃花も「相撲道」を語るのであれば、詳細に至るまで論理の辻褄を合わせて定義付けしたうえで、正式なものとして広くコンセンサスをとることが必要です。柔道の起源も柔術であって、当時はさまざまな流派が乱立していました。そんな意味では元貴乃花も大相撲とは別の流派として「相撲道」という新しい種目を創出し、普及を目指せばいいのでは、と思います。

曖昧なままで終わらせず、そこまできっちりとやり遂げたのが茶道の利休であり、柔道の嘉納治五郎です。新渡戸稲造も書物で「武士道」を定義し、一般に広く知らしめていくのです。

では、このような罠に陥らないためにどうすべきか。たとえば、指導者に「これが〇〇道だ」と言われたら、即座に「それって何の意味があるのですか？」と質問することだと思います。すなわち「目的論」に立ち戻るべきです。

さらに横道にそれますが、東京オリンピック・パラリンピックをめぐる一連の混乱を、「目的論」の観点から見てみます。

## 東京五輪を目的論から検証する

東京五輪はもともと、二〇〇五年に当時の石原慎太郎知事による都政のビジョン、「東京をニューヨークやロンドンなど世界の大都市に匹敵する都市にする」という目玉政策のひとつとして、都が二〇一六年大会の招致に乗り出したものです。

大会ビジョンとして掲げた「平和に貢献する大会」「世界一コンパクトな五輪」は非常に明確で共感性の高いものでした。これらは意思決定の「軸」として機能していたはずですし、世界平和や都市のサステイナビリティといった五輪の理念にも合致した素晴らしいコンセプトでした。

しかし、二〇一六年五輪はリオデジャネイロに決定し、石原知事も一二年に辞任。五輪招致の目標は副知事から知事となった猪瀬直樹氏に引き継がれ、二〇年大会の招致に成功しましたが、その過程で「東京を世界の大都市に負けない都市にする」というコンセプトは、少しずつずれていきました。

決定的なターニングポイントは、二〇一三年の招致成功後に猪瀬氏がスキャンダルで失脚したことでしょう。これで五輪の舵取り役は不在となり、その直後に森喜朗元首相が組織委員会会長に就任。かくして「ビジョン」を失った東京五輪は利益誘導型、人気取り型の政治に翻弄され、「迷走の道」をひた走ることになります。

国も都も組織委もその場しのぎの対応を繰り返し、開催コストは夏季五輪史上最高額にまで膨張しました。森元会長の女性差別発言による退任劇や開閉会式の演出家による侮辱発言をめぐるドタバタはみなさんご存じの通りです。

スポーツに「たられば」はないとよく言われますが、もしも東京五輪が当初のコンセプトからぶれることなく準備を進めることができていればと思わずにはいられません。

## 自分の存在を超えた大きなものと向き合う

話を元に戻すと、「人は何のために生きているのか？」という疑問は、社会人のだれもが抱く「何のために働いてるんだろう？」と同じように、本来なら最初に考えるべき目的地であるはずです。車に乗ったらカーナビに目的地を入れるのと同じくらい当たり前なことですが、我々日本人は、走りながら目的地を探し、途中のコンビニやガソリンスタンドで補給ばかりしてしまいます。

そんな罠に陥らないために、「人生の目的地なんてよくわからない」となってしまう場合、僕がひとつ大事だと考えているのは、自分という存在を超えた大きなもの、たとえば大自然、神、人の善意を信じるということです。

このようなものを身近に感じていると、人間は自分の無力さと真摯に向き合うことができます。そして、じつは自分自身は非常に小さな存在で、多くの人たちから支えられることで存在できているという「感謝」の気持ちが芽生えます。こうすることで、ぼんやりと「目的地」が見えてきたりします。

また、自分を超えた大きな存在があるということが常に頭の中にあるので、たとえ自分のイメージ通りにことが運んでも慢心しません。まだまだ努力が足りない、もっとがんばらなければ、と真摯な姿勢で目標に向かって歩み続けることができるのです。

何やらスピリチュアルな話になってきたと思うかもしれませんが、これは何も僕が特殊なことを言っているわけではありません。みなさんも世界で活躍する一流アスリートたちの多くが、大事な試合や勝負の前に神に祈る場面をしばしば見かけると思います。そして、努力が報われて素晴らしい記録や結果を残したときには、家族や神への感謝を耳にすることが多いはずです。

キリスト教、イスラム教、さまざまな宗教の違いはありますが、ほとんどの国では人々の感覚には「信仰」が当たり前のように存在します。これはアスリートももちろん同じです。彼ら彼女らはアスリートである前に人間であり、一人の小さな少年少女であったわけです。彼らが成長する過程において、家族の支えとともに「神」への敬愛というものが常にあるのだと思います。

翻って、日本は世界でも珍しい「無宗教」の国だと言われています。でも僕はそれを信じていません。お正月には神社に行き、結婚式では神様に愛を誓い、子どもが産まれれば七五三でお参りし、お葬式にはお坊さんを呼んでお経を唱えます。ふと足元をみれば道端で見守ってくれているお地蔵さんもたくさんいます。

つまり、もしかしたら海外よりもずっと身近に神様がいるのに、うまく活用できていなかったり、その価値に気づいていないだけなのではないか、そんな風に考えています。

さはさりながら、日本人には無意識の中で「信仰」があると思います。これはどこかの宗教に入信をしているとかではなく、自分の中で何かしらの「強く信じていること」があるということと言い換えることができるかもしれません。日本人は、お宮参りや初詣、受験の祈願、安産祈願などなど、成長の節目では強く神様にサポートをお願いします。これはアスリートが一流に成長していく過程においても、より顕著に「神様」の存在を実感することと同じです。安全祈願、必勝祈願、野球の神様、オリンピックの神様……。怪我、対戦相手、天候などなど自分のコントロールできない要素に左右されるスポーツは、神様が微笑んでくれるかどうか、つまり神様を強く信じて願う場面の連続ともいえるでしょう。

多くのトップアスリートに実際に会って彼ら彼女らの話を聞いているうちに、僕はこのような「自分の存在を超越した大きなもの」を信じることとは、トップアスリート、ひいてはあらゆる人々が、どんな人生を歩むにせよ、成長するには必要な条件ではないかと考えるようになりました。「自分より大きな存在」を意識すること、神様に祈りを捧げるとき、そんなときこそ自分のなかに「目的」が芽生えるのだと思います。

つまり「この試合に勝たせてください。そして母に恩返しさせてください」と、ご利益を願う代わりに、その目的を意識させられるからです。

## 謙虚さを失わないための心のありかた

なぜこんな話をしているかというと、これこそが古き良き日本人の「特権」であり、我々はもっと神様を有効に活用できるのでは、という理由からです。今でこそ「無宗教」と言われる日本人でも、かつては神様のご利益を十分に活用できていたのではないか、そう考えています。親戚の家には仏壇があって、線香の香りが漂い、チーンと鳴る鐘の音……。目を瞑《つむ》ればその香りや光景が瞬時に思い浮かぶのは僕だけじゃないでしょう。小さなころには神社で遊び、浴衣を着てお祭りにでかけ、神輿を見て、恥ずかしがりながら盆踊りを踊りました。極端な話、神に囲まれて「生かされている」というのが、日本人の基本的な人生観だったと思うくらいです。

神様のご利益について、世界で活躍するトップアスリートがどれだけ神様と距離が近いか、神様をうまく活用しているか、例を挙げてみます。

たとえば、NBAの通算得点記録を持つカリーム・アブドゥル゠ジャバーは、二四歳のときにキリスト教からイスラム教に改宗しています。先にも述べたボクシングのモハメド・アリも、プロに転向した直後にネーション・オブ・イスラム（米国におけるアフリカ系米国人のイスラム運動組織）の信徒であることを公表し、リングネームを現在の本名に改めました。その後、イスラム教に改宗し、公民権運動にも参加。ベトナム戦争の徴兵を拒否して米国政府と対立し、世界タイトルを剝奪されたこともありました（その後、三年七ヵ月のブランクを経て実力で王座奪回を果たしました）。

同じボクシングのジョージ・フォアマンは、試合後にロッカールームで倒れたときに、イエス・キリストの存在を感じるような神秘的な体験をしたことを契機にキリスト教に目覚め、引退後は牧師になりました。ゴルフのスーパースター、タイガー・ウッズが幼少期から仏教徒として育てられたのも有名な話ですし、野球の松井秀喜さんも、石川県の新宗教で司教を務める父・昌雄さんの教えで、人格形成に大きな影響を受けたといいます。NFLサンフランシスコ・フォーティナイナーズのスター・クォーターバックだったスティーブ・ヤングは敬虔なモルモン教徒として知られ、かつて地元メディアのインタビューに「わたしは、キリストの『わたしを信じなさい』との招きに、どうすれば応えることができるだろうかと常に考えてきました」と語っています（出典：'Why I'm a Mormon': Steve Young, Deseret News)。

これらの例からもわかるように、自分を遥かに超えた偉大なものの存在を信じることができる人は、スケールの大きな目標を抱き続けることができるのだと思います。

また、偉大な存在があることがわかっているので、どんなに結果を出しても自分をちっぽけな存在だと感じて謙虚でいられます。周囲の助けや運というものに感謝ができます。そのような気持ちを忘れることがないので、いつまでも向上心を持ち続けて自己研鑽《けんさん》に励むことができるのです。

トップアスリートたちの心構えや、彼らが大切にしていることなどを聞いてみると、このような心の好循環が回っているような気がしてならないのです。

## 「負けず嫌い」と「運」

僕自身もじつは「自分の存在を超越した偉大なもの」を信じることで、さまざまな困難を乗り越えてこられたと思っています。困難に直面するたびに神社に「神頼み」にいき、道端でお地蔵さまを見ると手を合わせて、日々健康に過ごせていることのお礼をします。その結果かどうかは知りませんが、僕は「運」に恵まれている、と感じられるのです。たとえうまくいかなくても、「神様は違う意味を与えてくれてるんだ」と、いい具合に自分の中で切り替えもできます。

東京の下町の普通の家庭で育った僕が、世界中を行ったり来たりしながら、大好きなスポーツで飯が食えている。こんな幸運があるでしょうか。

前述していますが、取材などを受けると「安田さんがここまで成功した秘訣はなんですか?」という質問を多く受けます。たいてい僕は、

「成功の定義はおいておいて、僕は運が良いのだと思います」

そう答えます。

僕は昔から「**隠れ負けず嫌い**」でした。『仮面ライダー』を見て育って、悪い敵をやっつけるために何度やられても立ち上がる本郷猛に憧れ、犯人を執念深く追い詰める刑事たちが登場するドラマ『太陽にほえろ!』にも夢中になりました。でも都会で育った僕はクールに生きるほうがカッコいいとも思っていて、がんばって敵を倒したり、困難を乗り越えたりする姿への憧憬の念を密かに心の中で育んでいたのだと思います。

スポーツにのめり込んでも、決してスポーツバカにはなりたくなく、第三章で述べたように表面的な勝利よりも人生の勝利を目指す、そんな粘り強さを兼ね備えたのが「**隠れ負けず嫌い**」です。表面的な勝利、一時的な成長には謙虚に、そしてより先にある目的地を探す、そんな感じで「隠れ負けず嫌い」は熟成されていきました。それも生来の性質とその後の環

境が程よくミックスされたという「幸運」に恵まれてのことです。

そんな僕の生来の「負けず嫌い」はだれかの影響を受けたものかというと、そうでもないですし、有名経営者のハウツー本や自己啓発本を読んで身についたものでもありません。もって生まれたものなのです。だから、「運」に感謝なわけです。

では、その運はどこからきたのか？ 学校では教えてもらえないし、科学でも解明されていません。だから「神様に感謝」なのだと思います。

「自分の存在以上の大きなもの」を信じることが、僕の大きな「原動力」になったり「制御力」になったりしている、ということだと思います。

## 目的を突き詰めたからこそ気づくこと

ここまでおつき合いいただきありがとうございます。いよいよこの本の「目的地」に向かいます。「まえがき」でも記したとおり、日本社会を形成してきた戦国武将やいまの日本を精神的に支えているトップアスリートたちを題材にして「方法論」が優勢な日本の現状に対する問題提起を行ってきました。

日本人は、近代史的背景から学校の校則のように、方法論から教わることが多いです。だから「それって何の意味がありますか？」という疑問を持つこと、ぶつけることが大切だと手を替え品を替え、書き記してきました。

「決まっているルールにいちいち疑問を持たれたら、社会が混乱する！」

という不安を覚える人も多いでしょう。ただ、僕から見れば、そもそもその思考自体が支配的であり狭量で、まるで幸せ感を感じられません。そもそも社会は混沌と整頓を行き来しながら現在に至っています。地球はもっとでっかい力学で動いています。自分自身を振り返っても、うまくいかなくて悔し涙を流し、うまくいって嬉し涙を流す、そんな感情の起伏、つまり混沌が生きている実感そのものです。

「それって何の意味がありますか？」

常識を疑い、頭の中を混沌とさせる。「どういうことだろうなぁ」とみなで一緒に考える。本当にどういう意味があるのか、真剣に考える。意味があれば信じて実行し、なければ改善したり撤廃したりする。そんなほんのちょっとした「懐の深さ」が無味乾燥な閉塞した社会に、爽やかな空気を送り込むのだと思います。

その懐の深さは「自分以外の偉大なものへの感謝」から芽生えるものだという論考も記させていただきました。

つまり、

**意味を考えること**

**意味あることの実行に力を注ぐこと**

**これを実現すれば必ずいい結果がついてくる**

**結果が出れば「感謝」の思いが芽生える**

**そして懐が深くなり、次なる意味不明を解明する**

これは「目的論」を起点とした「幸せのループ」のように感じています。

何度も記したように「自分の存在を超越した偉大なもの」への感謝は、一流のアスリートたちにもよく見られます。試合前や記録のチャレンジの前に神への祈りを捧げ、結果を出したときには、胸の前で十字を切ったり、天を仰ぎ見たりします。あれは、形式的なパフォーマンスなどではなく、自分をここまで導いてくれた「偉大な存在」を感じ、感謝しているのでしょう。

これは日本人アスリートも同様です。

相撲はそもそも神事だし、野球部員はグラウンドに入る前に必ず「野球の神様」に一礼します。どんな競技でもシーズン前には「必勝祈願」をすることでしょう。

アスリートは、少しだけ神様との距離が近く、活用方法が上手です。その距離感がこれまで支えてくれた人々への感謝や、仲間たちへの思いという「目に見えない偉大な力」を実感させ、明日へのパワーに変えているのだと思います。

さらにいえば、一流のアスリートになればなるほど、スポーツを通じて「目的」の力を理解しています。トップになるには無駄を徹底的に排除して、意味のある練習に邁進《まいしん》する必要があるからです。つまり日々、「目的」を研ぎ澄まして生きているがゆえ、人間の「究極の目的」である「自分は何のために生きるのか」という部分まで思考が深まっているということです。

そのように「目的論」を突き詰めていったことで、この世界には、自分の存在を大きく超えた偉大な「何か」があるということに気づいている、そしてその「何か」に感謝して日々を過ごしているのです。

決定的なゴールを決め、神様に感謝を捧げる。その姿勢が謙虚さを生み、自分などまだまだだという向上心も生まれますし、反対に弱い人たちや他者に対して慈しみの心が生まれるのではないか、と思います。

このように人間的に大きくなれることこそが、じつは「目的論」のもっとも大きな効果なのではないでしょうか。

# あとがき

## 「自由自在に生きる方法」

この「目的論」のたどりつきたい場所は、ここなのかもしれない。

世の中には、天下国家に大上段から切り込んでいく人々も必要だし、足元の一日をにっこり笑顔で過ごすことも重要です。

僕は宗教家でも思想家でもなく、幸運に恵まれた、下町の船大工の家系に生まれ育った一人の中年オヤジです。

その中年オヤジの五十数年の人生の中で、心から神様にすがり、祈り、誓いを捧げたときが二度ありました。

それが東日本大震災と、新型コロナウイルスのパンデミックです。

いずれも最初は自分の不幸を悲観し、自分や家族に被害が及ばないことばかりを願い、祈っていました。放射性物質やウイルスという見えない恐怖に悶え、苦しむ日々を過ごしながら、神社に行き、墓参りに行き、自分の身の回りに危害が及ばないことを祈っていました。

でも、神様に向き合い、自分たちの安全を祈っているうちに、だんだんと自分のことばかりお願いすることの虫のよさに気づかされました。神様は利他の精神の集合体のような存在だということは、ちょっと向き合ってみれば、だれでも気づくことだとも思いました。であれば、自分も利他の精神を身につけなければ、お願いも祈りもまるで届かないのでは。そしてそんな精神性が、地球上にいる全人類の秩序の基礎になっているのでは。と、そんなことを考えさせられました。

同時に自分自身に思いを向けると、願い祈っていたことのほとんどが、自分の安定した生活、いや贅沢な暮らしが壊されないことに帰結するという無残な状態であることを思い知らされました。

なぜこんな危機においても、そんなに欲張りなのか？　それは常識に縛られ、成功の定義を押しつけられ、競争を煽られ、人生の目的を見失っていたからだと気づかされました。僕の人生の目的地は「笑って死ぬ」ことです。おカネはあの世には持って行けません。「冷戦国時代」と「まえがき」で定義させてもらった現代社会です。命は取られなくても、心をじわりじわりと殺される、そんな場面ばかりに遭遇する毎日です。

新型コロナウイルスの影響、森喜朗前組織委員会会長の辞任に始まる一連のオリンピック騒動、ほぼ年中無休の緊急事態宣言、そしてその背景となっているワクチン接種戦略における決定的な遅れ——。

少し時計の針を戻すと、森友・加計問題や「桜を見る会」騒動における為政者の無法で傲《ごう》慢《まん》な振る舞いや、元法務大臣の逮捕や元経産大臣の略式起訴、公文書の改竄など、丸見えの汚点にすら向き合う素振りも見せず、むしろ問題をなかったことにして推し進める姿勢に終始する、そんな異常な国家運営が、もはや常態化しています。まさに冷戦国時代で、心がメロメロに無力化していくのを感じます。

オリンピック周辺の行政や、スポーツ改革に関しては、僕の専門分野に近いので、それなりの政府レベルの意思決定プロセスに直接、間接で携わったりしてきました。官房長官、大臣、知事や市長たちにさまざまな提言を直接してもきました。しかしながら、だれもが課題を課題とせず、あらかじめ用意された結論を繰り返すばかりで、完全な思考停止状態でした。委員会やワークショップと言われる会議は「見えざる手」のような「結論ありき」の奇妙な力学に支配されていました。「目的設定」の議論を何度提言しても「ふにゃっ」とかわされながら時間だけが過ぎていく。スポーツやビジネスの世界で生きていて、こんなに気持ち悪い空気に触れたことはなく、それが他人のおカネである税金を差配する仕事において感じられたことに、絶望的な無力感の中でぷかぷか漂流するばかりでした。

結果として、「ふにゃっ」とした目的がお飾りのように設定されて、豪華絢爛な方法論がそびえ立つ。新国立競技場や東京アクアティクスセンターなど、オリンピック関連施設の数々がまさにそのモニュメントです。

それでも、僕らはそんなネガティブな空気をポジティブなエネルギーに変えなければいけません。

**鳴かぬなら殺してしまえホトトギス**

残念ながら、僕は織田信長にはなれませんでしたが、冷戦国時代のいま、信長のような強烈な改革者が必ずどこかにいるはずと信じています。

そして、今は静かに黙っている若者たち。彼らは決して無知でも従順なわけでもなく、じっとそのときがくるのを待っているのだと思っています。自分の子どもたちと話しても、いまの若者が持つ知識やそれを加速させている検索能力は、我々世代が想定している実力の遥か上を行く威力と迫力に満ちています。

**鳴かぬなら鳴くまで待とうホトトギス**

混迷の現在、「冷戦国時代」が、かつての戦国時代のように、のちの天下泰平をつくる上での必要な混乱でありますように。

そのために……。

**常識や習慣に囚われず、「それって何の意味があるんだろう」と考えること。「自由自在に生きる方法」を身に付けること。**

本書を手にしたみなさまが、人生の目的地を設定し、生きている意味と向き合い、神様の力を借りて、突き抜けるほど自由自在に生きられますように。

**安田秀一**

1969年、東京都に生まれる。株式会社ドーム取締役会長 代表取締役 CEO。同社は米国のスポーツアパレル「アンダーアーマー」の日本総代理店。法政大学文学部卒業。法政大学アメリカンフットボール部、学生全日本選抜でともに主将を務めた。大学スポーツの産業化と選手の環境改善に積極的に取り組み、2016年9月に法政大のアメフット部監督、'17年1月からは総監督('18年3月に退任)。同年8月から筑波大学の客員教授も兼務している。スポーツ庁の「日本版NCAA創設に向けた学産官連携協議会」の委員も務めていた。著書に『スポーツ立国論』(東洋経済新報社)がある。

講談社+α《プラスアルファ》新書 843-1 C

「方《ほう》法《ほう》論《ろん》」より「目《もく》的《てき》論《ろん》」

「それって意味ありますか?」からはじめよう

安田《やすだ》秀一《しゅういち》 ©Shuichi Yasuda 2021

2021年7月19日第1刷発行

発行者――――鈴木章一

発行所――――株式会社 講談社

東京都文京区音羽2-12-21 〒112-8001

電話 編集(03)5395-3522

販売(03)5395-4415

業務(03)5395-3615

デザイン――――鈴木成一デザイン室

カバー印刷――――共同印刷株式会社

印刷――――株式会社新藤慶昌堂

製本――――牧製本印刷株式会社

KODANSHA

定価はカバーに表示してあります。

落丁本・乱丁本は購入書店名を明記のうえ、小社業務あてにお送りください。

送料は小社負担にてお取り替えします。

なお、この本の内容についてのお問い合わせは第一事業局企画部「+α新書」あてにお願いいたします。

本書のコピー、スキャン、デジタル化等の無断複製は著作権法上での例外を除き禁じられています。本書を代行業者等の第三者に依頼してスキャンやデジタル化することは、たとえ個人や家庭内の利用でも著作権法違反です。

Printed in Japan

ISBN978-4-06-524695-5

## 講談社＋α新書

| 書名 | 著者 | 内容 | 価格・番号 |
|---|---|---|---|
| 18歳の君へ贈る言葉 | 柳沢幸雄 | 名門・開成学園の校長先生が生徒たちに話していること。才能を伸ばす36の知恵。親子で必読！ | 880円 738-1 C |
| 本物のビジネス英語力 | 久保マサヒデ | ロンドンのビジネス最前線で成功した英語の秘訣を伝授！ この本でもう英語は怖くなくなる | 858円 739-1 C |
| 選ばれ続ける必然 誰でもできる「ブランディング」のはじめ方 | 佐藤圭一 | 商品に魅力があるだけではダメ。プロが教える選ばれ続け、ファンに愛される会社の作り方 | 924円 740-1 C |
| 歯はみがいてはいけない | 森昭 | 今すぐやめないと歯が抜け、口腔細菌で全身病になる。カネで歪んだ日本の歯科常識を告発!! | 924円 741-1 B |
| やっぱり、歯はみがいてはいけない 実践編 | 森昭 森光恵 | 日本人の歯みがき常識を一変させたベストセラーの第2弾が登場！「実践」に即して徹底教示 | 924円 741-2 B |
| 一日一日、強くなる 伊調馨の「壁を乗り越える」言葉 | 伊調馨 | オリンピック4連覇へ！ 常に進化し続ける伊調馨の孤高の言葉たち。志を抱くすべての人に | 880円 742-1 C |
| 50歳からの出直し大作戦 | 出口治明 | 会社の辞めどき、家族の説得、資金の手当て。著者が取材した50歳から花開いた人の成功理由 | 924円 743-1 C |
| 財務省と大新聞が隠す本当は世界一の日本経済 | 上念司 | 財務省のHPに載る七〇〇兆円の政府資産は、誰の物なのか!? それを隠すセコ過ぎる理由は | 968円 744-1 C |
| 習近平が隠す本当は世界3位の中国経済 | 上念司 | 中国は経済統計を使って戦争を仕掛けている！中華思想で粉飾したGDPは実は四三七兆円!? | 924円 744-2 C |
| 経団連と増税政治家が壊す本当は世界一の日本経済 | 上念司 | 企業の抱え込む内部留保450兆円が動き出す。デフレ解消の今、もうすぐ給料は必ず上がる!! | 946円 744-3 C |
| 考える力をつける本 | 畑村洋太郎 | 企画にも問題解決にも。失敗学・創造学の第一人者が教える誰でも身につけられる知的生産術 | 880円 746-1 C |

表示価格はすべて税込価格（税10%）です。価格は変更することがあります

## 講談社＋α新書

| 書名 | 著者 | 内容 | 価格 | 番号 |
|---|---|---|---|---|
| 世界大変動と日本の復活 竹中教授の２０２０年・日本大転換プラン | 竹中平蔵 | アベノミクスの目標＝ＧＤＰ６００兆円はこうすれば達成できる。最強経済への４大成長戦略 | 924円 | 747-1 C |
| この制御不能な時代を生き抜く経済学 | 竹中平蔵 | ２０２１年、大きな試練が日本を襲う。私たちに備えはあるか？ 米国発金融異変など危機突破の６戦略 | 924円 | 747-2 C |
| ビジネスＺＥＮ入門 | 松山大耕 | ジョブズを始めとした世界のビジネスリーダーがたしなむ「禅」が、あなたにも役立ちます！ | 924円 | 748-1 C |
| グーグルを驚愕させた日本人の知らないニッポン企業 | 山川博功 | 取引先は世界一二〇ヵ国以上、社員の三分の一は外国人。小さな超グローバル企業の快進撃！ | 924円 | 749-1 C |
| 力を引き出す 「ゆとり世代」の伸ばし方 | 原晋 原田曜平 | 青学陸上部を強豪校に育てあげた名将と、若者研究の第一人者が語るゆとり世代を育てる技術 | 880円 | 750-1 C |
| 台湾で見つけた、日本人が忘れた「日本」 | 村串栄一 | 激動する〝国〟台湾には、日本人が忘れた歴史がいまも息づいていた。読めば行きたくなるルポ | 924円 | 751-1 C |
| 不死身のひと 脳梗塞、がん、心臓病から15回生還した男 | 村串栄一 | がん12回、脳梗塞、腎臓病、心房細動、心房粗動、胃三分の二切除……満身創痍でもしぶとく生きる！ | 924円 | 751-2 B |
| 欧州危機と反グローバリズム 破綻と分断の現場を歩く | 星野眞三雄 | 英国ＥＵ離脱とトランプ現象に共通するものは何か？ ＥＵ26ヵ国を取材した記者の緊急報告 | 946円 | 753-1 C |
| 儒教に支配された中国人と韓国人の悲劇 | ケント・ギルバート | 「私はアメリカ人だから断言できる!! 日本人と中国・韓国人は全くの別物だ」――警告の書 | 924円 | 754-1 C |
| 中華思想を妄信する中国人と韓国人の悲劇 | ケント・ギルバート | 欧米が批難を始めた中国人と韓国人の中華思想。英国が国を挙げて追及する韓国の戦争犯罪とは | 924円 | 754-2 C |
| 日本人だけが知らない砂漠のグローバル大国ＵＡＥ | 加茂佳彦 | なぜ世界のビジネスマン、投資家、技術者はＵＡＥに向かうのか？ 答えはオイルマネー以外にあった！ | 924円 | 756-1 C |

表示価格はすべて税込価格（税10%）です。価格は変更することがあります

## 講談社＋α新書

| 書名 | 著者 | 内容 | 価格・番号 |
|---|---|---|---|
| 金正恩の核が北朝鮮を滅ぼす日 | 牧野愛博 | 格段に上がった脅威レベル、荒廃する社会。危険過ぎる隣人を裸にする、ソウル支局長の報告 | 924円 757-1 C |
| おどろきの金沢 | 秋元雄史 | 伝統対現代のバトル、金沢旦那衆の遊びっぷり。よそ者が10年住んでわかった、本当の魅力 | 946円 758-1 C |
| 「ミヤネ屋」の秘密 大阪発の報道番組が全国人気になった理由 | 春川正明 | なぜ、関西ローカルの報道番組が全国区人気になったのか。その躍進の秘訣を明らかにする | 924円 759-1 C |
| 一生モノの英語力を身につけるたったひとつの学習法 | 澤井康佑 | 「英語の達人」たちもこの道を通ってきた。読解から作文、会話まで。鉄板の学習法を紹介 | 924円 760-1 C |
| 茨城 vs. 群馬 北関東死闘編 | 全国都道府県調査隊 編 | 都道府県魅力度調査で毎年、熾烈な最下位争いを繰りひろげてきた両者がついに激突する！ | 858円 761-1 C |
| ポピュリズムと欧州動乱 フランスはEU崩壊の引き金を引くのか | 国末憲人 | ポピュリズムの行方とは。反EUとロシアとの連携。ルペンの台頭が示すフランスと欧州の変質 | 946円 763-1 C |
| 脂肪と疲労をためるジェットコースター血糖の恐怖 人生が変わる一週間断糖プログラム | 麻生れいみ | ねむけ、だるさ、肥満は「血糖値乱高下」が諸悪の根源！ 寿命も延びる血糖値ゆるやか食事法 | 924円 764-1 B |
| 超高齢社会だから急成長する日本経済 2030年にGDP700兆円のニッポン | 鈴木将之 | 旅行、グルメ、住宅…新高齢者は1000兆円の金融資産を遣って逝く↓高齢社会だから成長 | 924円 765-1 C |
| 歯は治療してはいけない！ あなたの人生を変える歯の新常識 | 田北行宏 | 歯が健康なら生涯で3000万円以上得!? 認知症や糖尿病も改善する実践的予防法を伝授！ | 924円 766-1 B |
| 50歳からは「筋トレ」してはいけない 何歳でも動けるからだをつくる「骨呼吸エクササイズ」 | 勇﨑賀雄 | 人のからだの基本は筋肉ではなく骨。日常的に骨を鍛え若々しいからだを保つエクササイズ | 968円 767-1 B |
| 定年前にはじめる生前整理 人生後半が変わる4ステップ | 古堅純子 | 「老後でいい！」と思ったら大間違い！ 今やると身も心もラクになる正しい生前整理の手順 | 880円 768-1 C |

表示価格はすべて税込価格（税10%）です。価格は変更することがあります

講談社＋α新書

日本人が忘れた日本人の本質
山折哲雄 髙山文彦
「天皇退位問題」から「シン・ゴジラ」まで、宗教学者と作家が語る新しい「日本人原論」
946円 769-1 C

ふりがな付 山中伸弥先生に、人生とiPS細胞について聞いてみた
山中伸弥 聞き手・緑 慎也
テレビで紹介され大反響！ やさしい語り口で親子で読める、ノーベル賞受賞後初にして唯一の自伝
880円 770-1 B

結局、勝ち続けるアメリカ経済 一人負けする中国経済
武者陵司
2020年に日経平均4万円突破もある順風!! トランプ政権の中国封じ込めで変わる世界経済
924円 771-1 C

仕事消滅 AIの時代を生き抜くために、いま私たちにできること
鈴木貴博
人工知能で人間の大半は失業する。肉体労働でなく頭脳労働の職場で。それはどんな未来か？
924円 772-1 C

格差と階級の未来 超富裕層と新下流層しかいなくなる世界の生き抜き方
鈴木貴博
AIによる「仕事消滅」と「中流層消滅」から脱出する方法。誰もが資本家になる逆転の発想！
946円 772-2 C

病気を遠ざける！ 1日1回日光浴 日本人は知らないビタミンDの実力
斎藤糧三
紫外線はすごい！ アレルギーも癌も逃げ出す！ 驚きの免疫調整作用が最新研究で解明された
880円 773-1 B

ふしぎな総合商社
小林敬幸
名前はみんな知っていても、実際に何をしている会社か誰も知らない総合商社のホントの姿
924円 774-1 C

日本の正しい未来 世界一豊かになる条件
村上尚己
デフレは人の価値まで下落させる。成長不要論が日本をダメにする。経済の基本認識が激変！
880円 775-1 C

上海の中国人、安倍総理はみんな嫌いだけど8割は日本文化中毒！
山下智博
中国で一番有名な日本人――動画再生10億回!! 「ネットを通じて中国人は日本化されている」
946円 776-1 C

戸籍アパルトヘイト国家・中国の崩壊
川島博之
9億人の貧農と3隻の空母が殺す中国経済…… 歴史はまた繰り返し、2020年に国家分裂!!
946円 777-1 C

習近平のデジタル文化大革命 24時間を監視され全人生を支配される中国人の悲劇
川島博之
共産党の崩壊は必至!! 民衆の反撃を殺すため ヒトラーと化す習近平……その断末魔の叫び!!
924円 777-2 C

表示価格はすべて税込価格（税10%）です。価格は変更することがあります

## 講談社＋α新書

| 書名 | 著者 | 内容 | 価格 |
|---|---|---|---|
| 知っているようで知らない夏目漱石 | 出口汪 | きっかけがなければ、なかなか手に取らない、生誕150年に贈る文豪入門の決定版！ | 990円 778-1 C |
| 働く人の養生訓 あなたの体と心を軽やかにする習慣 | 若林理砂 | だるい、疲れがとれない、うつっぽい。そんな現代人の悩みをスッキリ解決する健康バイブル | 924円 779-1 B |
| 認知症 専門医が教える最新事情 | 伊東大介 | 正しい選択のために、日本認知症学会学会賞受賞の臨床医が真の予防と治療法をアドバイス | 924円 780-1 B |
| 工作員・西郷隆盛 謀略の幕末維新史 | 倉山満 | 「大河ドラマ」では決して描かれない陰の貌。明治維新150年に明かされる新たな西郷像！ | 924円 781-1 C |
| 2時間でわかる政治経済のルール | 倉山満 | 消費増税、憲法改正、流動する外交のパワーバランス……ニュースの真相はこうだったのか！ | 946円 781-2 C |
| 「よく見える目」をあきらめない 遠視・近視・白内障の最新医療 | 荒井宏幸 | 劇的に進化している老眼、白内障治療。50代、60代でも8割がメガネいらずに！ | 946円 783-1 B |
| 野球エリート 野球選手の人生は13歳で決まる | 赤坂英一 | 根尾昂、石川昂弥、高松屋翔音……次々登場する新怪物候補の秘密は中学時代の育成にあった | 924円 784-1 D |
| NYとワシントンのアメリカ人がクスリと笑う日本人の洋服と仕草 | 安積陽子 | マティス国防長官と会談した安倍総理のスーツの足元はローファー…日本人の変な洋装を正す | 946円 785-1 D |
| 医者には絶対書けない幸せな死に方 | たくきよしみつ | 「看取り医」の選び方、「死に場所」の見つけ方。お金の問題……。後悔しないためのヒント | 924円 786-1 B |
| もう初対面でも会話に困らない！口ベタのための「話し方」「聞き方」 | 佐野剛平 | 『ラジオ深夜便』の名インタビュアーが教える、自分も相手も「心地よい」会話のヒント | 880円 787-1 A |
| 人は死ぬまで結婚できる 晩婚時代の幸せのつかみ方 | 大宮冬洋 | 80人以上の「晩婚さん」夫婦の取材から見えてきた、幸せ、課題、婚活ノウハウを伝える | 924円 788-1 A |

表示価格はすべて税込価格（税10%）です。価格は変更することがあります

# 講談社+α新書

| 書名 | 著者 | 内容 | 価格 | 番号 |
|---|---|---|---|---|
| 人生100年時代の個人M&A入門 サラリーマンは300万円で小さな会社を買いなさい | 三戸政和 | 脱サラ・定年で飲食業や起業に手を出すと地獄が待っている。個人M&Aで資本家になろう！ | 924円 | 789-1 C |
| サラリーマンは300万円で小さな会社を買いなさい 会計編 | 三戸政和 | サラリーマンは会社を買って「奴隷」から「資本家」へ。決定版バイブル第2弾、「会計」編！ | 946円 | 789-2 C |
| 名古屋円頓寺《えんどうじ》商店街の奇跡 | 山口あゆみ | 「野良猫さえ歩いていない」シャッター通りに人波が押し寄せた！ 空き店舗再生の逆転劇！ | 880円 | 790-1 C |
| 少子高齢化でも老後不安ゼロ シンガポールで見た日本の未来理想図 | 花輪陽子 | 日本を救う小国の知恵。1億総活躍社会、経済成長率3・5%、賢い国家戦略から学ぶこと | 946円 | 791-1 C |
| マツダがBMWを超える日 クールジャパンからプレミアムジャパン・ブランド戦略へ | 山崎明 | 日本企業は薄利多売の固定観念を捨てなさい。新プレミアム戦略で日本企業は必ず復活する！ | 968円 | 792-1 C |
| 知っている人だけが勝つ 仮想通貨の新ルール | 小島寛明＋ビジネスインサイダージャパン取材班 | 仮想通貨は日本経済復活の最後のチャンスだ。この大きな波に乗り遅れてはいけない | 924円 | 793-1 C |
| 夫婦という他人 | 下重暁子 | 67万部突破『家族という病』、27万部突破『極上の孤独』に続く、人の世の根源を問う問題作 | 858円 | 794-1 A |
| 歩く速さなのに らくらくスロージョギング運動 健康効果は2倍！ | 讃井里佳子 | 歩幅は小さく足踏みするテンポ。足の指の付け根で着地。科学的理論に基づいた運動法 | 968円 | 795-1 B |
| AIで私の仕事はなくなりますか？ | 田原総一朗 | グーグル、東大、トヨタ……「極端な文系人間」の著者が、最先端のAI研究者を連続取材！ | 946円 | 796-1 C |
| 本社は田舎に限る | 吉田基晴 | 徳島県美波町に本社を移したITベンチャー企業社長。全国注目の新しい仕事と生活スタイル | 946円 | 797-1 C |
| 50歳を超えても脳が若返る生き方 | 加藤俊徳 | 寿命100年時代は50歳から全く別の人生を！ 今までダメだった人の脳は後半こそ最盛期に!! | 968円 | 798-1 B |

表示価格はすべて税込価格（税10%）です。価格は変更することがあります

講談社＋α新書

99%の人が気づいていないビジネス力アップの基本100　山口 博
アイコンタクトからモチベーションの上げ方まで。「できる」と言われる人はやっている
946円 799-1 C

妻のトリセツ　黒川伊保子
いつも不機嫌、理由もなく怒り出す――理不尽極まりない妻との上手な付き合い方
880円 800-1 A

夫のトリセツ　黒川伊保子
話題騒然の大ヒット『妻のトリセツ』第2弾。夫婦70年時代、夫に絶望する前にこの一冊
902円 800-2 A

世界の常識は日本の非常識 自然エネは儲かる!　吉原 毅
新産業が大成長を遂げている世界の最新事情を紹介し、日本に第四の産業革命を起こす一冊!
946円 801-1 C

人生後半こう生きなはれ　川村妙慶
人生相談のカリスマ僧侶が仏教の視点で伝える、定年後の人生が100倍楽しくなる生き方
924円 802-1 A

明日の日本を予測する技術 「権力者の絶対法則」を知ると未来が見える!　長谷川幸洋
ビジネスに投資に就職に!! 6ヵ月先の日本が見えるようになる本! 日本経済の実力も判明
968円 803-1 C

人が集まる会社 人が逃げ出す会社　下田直人
従業員、取引先、顧客。まず、人が集まる会社をつくろう! 利益はあとからついてくる
902円 804-1 C

志ん生が語る クオリティの高い貧乏のススメ 昭和のように生きて心が豊かになる25の習慣　美濃部由紀子
NHK大河ドラマ「いだてん」でビートたけし演じる志ん生は著者の祖父、人生の達人だった
924円 805-1 A

精日 加速度的に日本化する中国人の群像　古畑康雄
日本文化が共産党を打倒した!! 対日好感度も急上昇で、5年後の日中関係は、激変する!!
946円 806-1 C

6つの脳波を自在に操るNFBメソッド たった1年で世界イチになるメンタル・トレーニング　林 愛理
スキージャンプ年間王者・小林陵侑選手も実践。リラックスも集中も可能なゾーンに入る技術!!
968円 807-1 B

古き佳きエジンバラから新しい日本が見える　ハーディ智砂子
遥か遠いスコットランドから本当の日本が見える。ファンドマネジャーとして日本企業の強さも実感
946円 808-1 C

表示価格はすべて税込価格（税10%）です。価格は変更することがあります

## 講談社＋α新書

**戦国武将に学ぶ「必勝マネー術」**
橋場日月
生死を賭した戦国武将たちの人間くさくて、ユニークで残酷なカネの稼ぎ方、使い方！
968円 809-1 C

**さらば銀行** 「第3の金融」が変えるお金の未来
杉山智行
僕たちの小さな「お金」が世界中のソーシャルな課題を解決し、資産運用にもなる凄い方法！
946円 810-1 C

**IoT最強国家ニッポン** 日本企業が4つの主要技術を支配する時代
南川明
レガシー半導体・電子素材・モーター・電子部品……IoTの主要技術が全て揃うのは日本だけ!!
968円 811-1 C

**がん消滅**
中村祐輔
最先端のゲノム医療、免疫療法、AI活用で、がんの恐怖がこの世からなくなる日が来る！
990円 812-1 B

**定年破産絶対回避マニュアル**
加谷珪一
人生100年時代を楽しむには？　ちょっとのお金と、制度を正しく知れば、不安がなくなる！
946円 813-1 C

**危ない日本史**
本郷和人
NHK「偉人たちの健康診断」取材班
明智光秀はなぜ信長を討ったのか。石田三成の遺骨から復元された顔は。龍馬暗殺の黒幕は
946円 814-1 C

**日本への警告** 米中ロ朝鮮半島の激変から人とお金が向かう先を見抜く
ジム・ロジャーズ
日本衰退の危機。私たちは世界をどう見る？新時代の知恵と教養が身につく大投資家の新刊
990円 815-1 C

**起業するより会社は買いなさい** サラリーマン・中小企業のためのミニM&Aのススメ
高橋聡
定年間近な人、副業を検討中の人に「会社を買う」という選択肢を提案。小規模M&Aの魅力
924円 816-1 C

**「平成日本サッカー」秘史** 熱狂と歓喜はこうして生まれた
小倉純二
Jリーグ発足、W杯日韓共催――その舞台裏にもまた「負けられない戦い」に挑んだ男達がいた
1012円 817-1 C

**メンタルが強い人がやめた13の習慣**
エイミー・モーリン
長澤あかね 訳
一番悪い習慣が、あなたの価値を決めている！最強の自分になるための新しい心の鍛え方
990円 818-1 A

**メンタルが強い子どもに育てる13の習慣**
エイミー・モーリン
長澤あかね 訳
子どもをダメにする悪い習慣を捨てれば、〝自分を律し、前向きに考えられる子〟が育つ！
1045円 818-2 A

表示価格はすべて税込価格（税10%）です。価格は変更することがあります

## 講談社＋α新書

人間関係が楽になる 神経の仕組み 脳幹リセットワーク　藤本　靖
わりばしをくわえる、ティッシュを噛むなど、たったこれだけで芯からゆるむボディワーク　990円 819-1 B

もの忘れをこれ以上増やしたくない人が読む本　脳のゴミをためない習慣　松原英多
今一番読まれている脳活性化の本の著者が、「すぐできて続く」脳の老化予防習慣を伝授！　990円 820-1 B

全身美容外科医　道なき先にカネはある　高須克弥
「整形大国ニッポン」を逆張りといかがわしさで築き上げた男が成功哲学をすべて明かした！　968円 821-1 A

世界のスパイから喰いモノにされる日本　ＭＩ６、ＣＩＡの厳秘インテリジェンス　山田敏弘
世界１００人のスパイに取材した著者だから書ける日本を襲うサイバー嫌がらせの恐るべき脅威！　968円 822-1 C

空気を読む脳　中野信子
日本人の「空気」を読む力を脳科学から読み解く。職場や学校での生きづらさが「強み」になる　946円 823-1 C

ソフトバンク崩壊の恐怖と農中・ゆうちょに迫る金融危機　黒川敦彦
巨大投資会社となったソフトバンク、農家の預金等１０８兆を運用する農中が抱える爆弾とは　924円 824-1 C

ソフトバンク「巨額赤字の結末」とメガバンク危機　黒川敦彦
コロナ危機でますます膨張する金融資本。崩壊のＸデーはいつか。人気YouTuberが読み解く。　924円 824-2 C

次世代半導体素材ＧａＮの挑戦　22世紀の世界を先導する日本の科学技術　天野　浩
ノーベル賞から6年――日本発、21世紀最大の産業が出現する!!　産学共同で目指す日本復活　968円 825-1 C

会計が驚くほどわかる魔法の10フレーズ　前田順一郎
この10フレーズを覚えるだけで会計がわかる！「超一流」がこっそり教える最短距離の勉強法　990円 826-1 C

ＥＳＧ思考　激変資本主義１９９０―２０２０、経営者も投資家もここまで変わった　夫馬賢治
世界のマネー３０００兆円はなぜ本気で温暖化対策に動き出したのか？　話題のＥＳＧ入門　968円 827-1 C

超入門カーボンニュートラル　夫馬賢治
カーボンニュートラルから新たな資本主義が誕生する。第一人者による脱炭素社会の基礎知識　946円 827-2 C

表示価格はすべて税込価格（税10％）です。価格は変更することがあります

## 講談社+α新書

| 書名 | 著者 | 内容 | 価格 | 番号 |
|---|---|---|---|---|
| 内向型人間が無理せず幸せになる唯一の方法 | スーザン・ケイン 古草秀子 訳 | 成功する人は外向型という常識を覆した全米ミリオンセラー。孤独を愛する人に女神は微笑む | 990円 | 828-1 A |
| トヨタ チーフエンジニアの仕事 | 北川尚人 | GAFAも手本にするトヨタの製品開発システム。その司令塔の仕事と資質を明らかにする | 968円 | 829-1 C |
| ダークサイド投資術 元経済ヤクザが明かす「アフター・コロナ」を生き抜く黒いマネーの流儀 | 猫組長（菅原潮） | 恐慌と戦争の暗黒時代にも揺るがない「王道の投資」を、元経済ヤクザが緊急指南！ | 968円 | 830-1 C |
| シリコンバレーの金儲け | 海部美知 | 「ソフトウェアが世界を食べる」時代の金儲けの法則を、中心地のシリコンバレーから学ぶ | 968円 | 831-1 C |
| 認知症の人が「さっきも言ったでしょ」と言われて怒る理由 5000人を診てわかったほんとうの話 | 木之下徹 | 認知症一〇〇〇万人時代。「認知症＝絶望」ではない。「よりよく」生きるための第一歩 | 968円 | 832-1 B |
| 成功する人ほどよく寝ている 最強の睡眠に変える食習慣 | 前野博之 | 記憶力低下からうつやがんまで、睡眠負債のリスクを毎日の食事で改善する初のメソッド！ | 990円 | 833-1 B |
| 健康本200冊を読み倒し、自身で人体実験してわかった 食事法の最適解 | 国府田淳 | これが結論！ ビジネスでパフォーマンスを240％上げる食べ物・飲み物・その摂り方 | 990円 | 834-1 B |
| なぜネギ1本が1万円で売れるのか？ | 清水寅 | ブランド創り、マーケティング、営業の肝、働き方、彼のネギにはビジネスのすべてがある！ | 968円 | 835-1 C |
| わが子に「なぜ海の水はしょっぱいの？」と聞かれたら？ 尊敬される大人の教養100 | 「大人」とは何か？研究所 編 | 地獄に堕ちたら釈放まで何年かかる？ 会議、接待、スピーチ、家庭をアゲる「へえ？」なネタ！ | 858円 | 837-1 C |
| なぜニセコだけが世界リゾートになったのか 「地方創生」「観光立国」の無残な結末 | 高橋克英 | 地価上昇率6年連続一位の秘密。新世界「ニセコ金融資本帝国」に苦境から脱するヒントがある。 | 990円 | 838-1 C |
| 就活のワナ あなたの魅力が伝わらない理由 | 石渡嶺司 | インターンシップ、オンライン面接、エントリーシート……。激変する就活を勝ち抜くヒント | 1100円 | 839-1 C |

表示価格はすべて税込価格（税10%）です。価格は変更することがあります

講談社＋α新書

考える、書く、伝える　生きぬくための科学的思考法　仲野徹
名物教授がプレゼンや文章の指導を通じ伝授する、仕事や生活に使える一生モンの知的技術
990円 840-1 C

生贄探し　暴走する脳　中野信子　ヤマザキマリ
「世間の目」が恐ろしいのはなぜか。知っておきたい日本人の脳の特性と多様性のある生き方
968円 823-2 C

藤井聡太論　将棋の未来　谷川浩司
人間はどこまで強くなれるのか？　天才が将棋界を席巻する若き天才の秘密に迫る
990円 836-1 C

この国を覆う憎悪と嘲笑の濁流の正体　青木理　安田浩一
ネットに溢れる悪意に満ちたデマや誹謗中傷、その病理を論客二人が重層的に解き明かす！
990円 841-1 C

ほめて伸ばすコーチング　林壮一
楽しくなければスポーツじゃない！　子供の力がひとりでに伸びる「魔法のコーチング法」
946円 842-1 C

「方法論」より「目的論」　「それって意味ありますか？」からはじめよう　安田秀一
日本社会の「迷走」と「場当たり感」の根源は方法論の呪縛！　気鋭の経営者が痛快に説く！
880円 843-1 C

表示価格はすべて税込価格（税10％）です。価格は変更することがあります